CONTEÚDO DIGITAL PARA ALUNOS
Cadastre-se e transforme seus estudos em uma experiência única de aprendizado:

1

Entre na página de cadastro:
https://sistemas.editoradobrasil.com.br/cadastro

2

Além dos seus dados pessoais e dos dados de sua escola, adicione ao cadastro o código do aluno, que garantirá a exclusividade do seu ingresso à plataforma.

1575053A2700159

3

Depois, acesse: https://leb.editoradobrasil.com.br/ e navegue pelos conteúdos digitais de sua coleção :D

Lembre-se de que esse código, pessoal e intransferível, é valido por um ano. Guarde-o com cuidado, pois é a única maneira de você acessar os conteúdos da plataforma.

CB035714

Editora do Brasil

ASSIM eu APRENDO
Gramática

ORGANIZADORA: EDITORA DO BRASIL

2

Ensino Fundamental

5ª edição
São Paulo, 2022

Editora do Brasil

Dados Internacionais de Catalogação na Publicação (CIP)
(Câmara Brasileira do Livro, SP, Brasil)

Assim eu aprendo gramática 2 / organizadora Editora do Brasil. -- 5. ed. -- São Paulo : Editora do Brasil, 2022. -- (Assim eu aprendo)

ISBN 978-85-10-08888-6 (aluno)
ISBN 978-85-10-08887-9 (professor)

1. Língua portuguesa - Gramática (Ensino fundamental) I. Série.

21-81536   CDD-372.61

Índices para catálogo sistemático:

1. Língua portuguesa : Gramática : Ensino fundamental   372.61

Maria Alice Ferreira - Bibliotecária - CRB-8/7964

abdr
ASSOCIAÇÃO BRASILEIRA DOS DIREITOS REPROGRÁFICOS
Respeite o direito autoral

5ª edição / 4ª impressão, 2025
Impresso na PifferPrint

Editora do Brasil

Avenida das Nações Unidas, 12901
Torre Oeste, 20º andar
São Paulo, SP – CEP: 04578-910
Fone: +55 11 3226-0211
www.editoradobrasil.com.br

© Editora do Brasil S.A., 2022
Todos os direitos reservados

Direção-geral: Vicente Tortamano Avanso

Direção editorial: Felipe Ramos Poletti
Gerência editorial de conteúdo didático: Erika Caldin
Gerência editorial de produção e design: Ulisses Pires
Supervisão de design: Dea Melo
Supervisão de arte: Abdonildo José de Lima Santos
Supervisão de revisão: Elaine Cristina da Silva
Supervisão de iconografia: Léo Burgos
Supervisão de digital: Priscila Hernandez
Supervisão de controle de processos editoriais: Roseli Said
Supervisão de direitos autorais: Marilisa Bertolone Mendes

Supervisão editorial: Diego da Mata
Edição: Claudia Padovani e Natalie Magarian
Assistência editorial: Gabriel Madeira Fernandes, Márcia Pessoa e Olivia Yumi Duarte
Revisão: Amanda Cabral, Andréia Andrade, Fernanda Sanchez, Gabriel Ornelas, Giovana Sanches, Jonathan Busato, Júlia Castello, Luiza Luchini, Maisa Akazawa, Mariana Paixão, Martin Gonçalves, Rita Costa, Rosani Andreani, Sandra Fernandes e Veridiana Cunha
Pesquisa iconográfica: Alice Matoso e Enio Lopes
Editora de arte: Josiane Batista
Design gráfico: Patrícia Lino
Capa: Andrea Melo e Patrícia Lino
Imagem de capa: Sandra Serra
Ilustrações: Adolar, Artur Fujita, Claudia Marianno, Claudio Chiyo, Daniel Klein, Erik Malagrino, Fabio Sgroi, George Tutumi, Ilustra Cartoon, Juliana Basile Dias, Marcos De Mello, Marcos Machado, Olivia Pinto, Roberto Weigand, Rodrigo Arraya, Sandra Lavandeira, Simone Ziasch, Vanessa Alexandre, Vicente Mendonça e Susan Morisse
Editoração eletrônica: Adriana Tami Takayama, Marcos Gubiotti, William Takamoto, Viviane Ayumi Yonamine
Licenciamentos de textos: Cinthya Utiyama, Jennifer Xavier, Paula Harue Tozaki e Renata Garbellini
Controle de processos editoriais: Bruna Alves, Julia do Nascimento, Rita Poliane, Terezinha de Fátima Oliveira e Valéria Alves

APRESENTAÇÃO

Caro aluno,

Esta coleção de gramática foi elaborada para os cinco primeiros anos do Ensino Fundamental com base em nossa experiência em sala de aula, no dia a dia com as crianças.

Ela foi pensada para você, com o objetivo de conduzi-lo a uma aprendizagem simples e motivada.

A gramática é um importante instrumento de comunicação em diversas esferas. Portanto, estudá-la é indispensável para a comunicação eficaz.

O domínio da gramática ocorre principalmente por meio da prática contínua. Por isso apresentamos uma série de atividades variadas e interessantes. O conteúdo está organizado de tal modo que temos certeza de que seu professor ficará à vontade para aprofundar, de acordo com o critério dele, os itens que julgar merecedores de maior atenção conforme a receptividade da turma.

Acreditamos, assim, que esta coleção tornará o estudo da gramática bem agradável e útil tanto para você quanto para o professor.

Os organizadores

SUMÁRIO

Capítulo 1
Gramática 9
    Alfabeto 9
Atividades 10
Ortografia 12
    Ordem alfabética 12

Capítulo 2
Gramática 13
    Vogais e consoantes 13
Atividades 15
Ortografia 18
    Palavras com **as**, **es**, **is**, **os** ou **us**............... 18

Capítulo 3
Gramática 19
    Letras maiúsculas e minúsculas................ 19
Atividades 20
Ortografia 22
    Palavras com **ar**, **er**, **ir**, **or** ou **ur**............... 22

Capítulo 4
Gramática 25
    Encontro vocálico 25
Atividades 26
Ortografia 28
    Palavras com **am**, **em**, **im**, **om** ou **um** 28

Capítulo 5
Gramática 32
    Encontro consonantal 32
Atividades 32

Ortografia 35
    Palavras com **br**, **cr**, **dr**, **fr**, **gr**, **pr**, **tr** ou **vr** 35

Capítulo 6
Gramática 38
    Dígrafos 38
Atividades 39
Ortografia 42
    Palavras com **cha**, **che**, **chi**, **cho** ou **chu** 42

Capítulo 7
Gramática 44
    Sílabas 44
Atividades 45
Ortografia 48
    Palavras com **lha**, **lhe**, **lhi**, **lho** ou **lhu** 48

Capítulo 8
Gramática 50
    Número de sílabas 50
Atividades 52
Ortografia 55
    Palavras com **nha**, **nhe**, **nhi**, **nho** ou **nhu** ... 55

Capítulo 9
Gramática 57
    Sílaba tônica... 57
Atividades 58
Ortografia 60
    Palavras com **ha**, **he**, **hi**, **ho** ou **hu**............. 60

Capítulo 10
Gramática 62
    Emprego do til 62

Atividades 62
Ortografia 64
    Palavras com **r** ou **rr** 64

Capítulo 11

Gramática 65
    Cedilha 65
Atividades 66
Ortografia 68
    Palavras com **ça**, **ce**, **ci**, **ço** ou **çu** 68

Capítulo 12

Gramática 70
    Acento circunflexo 70
Atividades 70
Ortografia 73
    Palavras com **qua**, **que** ou **qui** 73

Capítulo 13

Gramática 75
    Acento agudo 75
Atividades 75
Ortografia 78
    Palavras com **quo** 78

Capítulo 14

Gramática 79
    Substantivos próprios e comuns 79
Atividades 81
Ortografia 82
    Palavras com **al**, **el**, **il**, **ol** ou **ul** 82

Capítulo 15

Gramática 85
    Gênero do substantivo 85
Atividades 86
Ortografia 89
    Palavras com **r** brando 89

Capítulo 16

Gramática 91
    Número do substantivo 91
Atividades 93
Ortografia 95
    Palavras com **s** ou **ss** 95

Capítulo 17

Gramática 97
    Grau do substantivo 97
Atividades 99
Ortografia 102
    Palavras com **s** entre vogais 102

Capítulo 18

Gramática 103
    Substantivos coletivos 103
Atividades 104
Ortografia 105
    Letras **p** e **b** 105
Ortografia 107
    Palavras com **ch**, **lh** ou **nh** 107

Capítulo 19

Gramática 108
    Artigo definido e indefinido 108
Atividades 109
Ortografia 110
    Palavras com **bl**, **cl**, **fl**, **gl**, **pl** ou **tl** 110

Capítulo 20

Gramática 112
    Adjetivo 112
Atividades 113
Ortografia 115
    Palavras com **gua**, **gue** ou **gui** 115

Capítulo 21

Gramática..**117**
  Sinônimos 117
Atividades...**118**
Ortografia...**120**
  Palavras com **guo**.............................. 120

Capítulo 22

Gramática..**121**
  Antônimos.. 121
Atividades...**122**
Ortografia...**124**
  Palavras com **az**, **ez**, **iz**, **oz** ou **uz**............. 124

Capítulo 23

Gramática..**126**
  Sinais de pontuação 126
Atividades...**127**
Ortografia...**129**
  Palavras com **l** ou **u** 129

Capítulo 24

Gramática..**131**
  Frases afirmativas e frases negativas 131
Atividades...**132**
Ortografia...**134**
  Palavras em que o **s** representa o som de **z** 134

Capítulo 25

Gramática..**137**
  Frases interrogativas e exclamativas 137
Atividades...**138**
Ortografia...**140**
  Palavras com **x** ou **ch**............................ 140

Capítulo 26

Gramática..**142**
  Pronomes pessoais............................. 142
Atividades...**143**
Ortografia...**144**
  Palavras em que o **x** representa o som de **z** 144

Capítulo 27

Gramática..**146**
  Verbo 146
Atividades...**147**
Ortografia...**148**
  Palavras com **s**, **ss** e **x** representando o som de **s** 148

Capítulo 28

Gramática..**150**
  Verbo: tempos verbais 150
Atividades...**151**
Ortografia...**153**
  Palavras com **g** ou **j** 153

Capítulo 29

Gramática..**155**
  Terminações verbais 155
Atividades...**157**
Ortografia...**160**
  Emprego de **am** e **ão**............................ 160

Capítulo 30

Gramática..**162**
  Sujeito e predicado 162
Atividades...**163**
Ortografia...**165**
  Palavras terminadas em **ão**, **ãe**, **ã/ãos**, **ões**, **ães**, **ãs** 165

Recordando o que você aprendeu **167**

ASSIM É SEU LIVRO

Gramática
Esta seção apresenta, de forma clara e objetiva, o conteúdo principal estudado no capítulo.

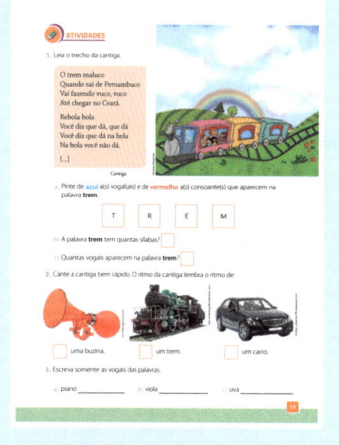

Atividades
Nesta seção, você pratica o que aprendeu em atividades diversificadas e interessantes, preparadas especialmente para esse momento de sua aprendizagem.

Ortografia
Aqui você encontra atividades que vão ajudá-lo no aprendizado da escrita.

Recordando o que você aprendeu
Para lembrar de tudo o que aprendeu durante o ano, nesta seção há novos exercícios para você praticar. Assim, estará preparado para avançar nos estudos.

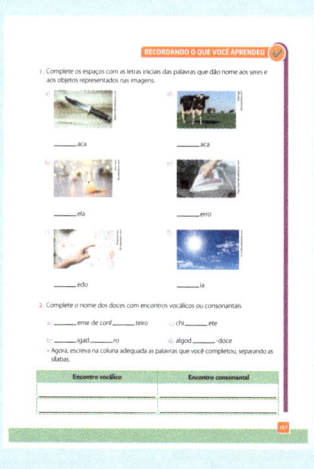

CAPÍTULO 1

GRAMÁTICA

ALFABETO

Dora e seu amigo, Beto, estão conversando.

Oi, Beto! Tudo bem?

Tudo bem, Dora! Vamos brincar?

É principalmente por meio da fala e da escrita que conversamos e nos comunicamos com as pessoas.

Para isso, usamos **palavras**. E as palavras são escritas com **letras**.

Na nossa língua, temos **26 letras**. Vamos recordá-las? Observe o quadro a seguir.

A a   B b   C c   D d   E e   F f   G g   H h   I i
J j   K k   L l   M m   N n   O o   P p   Q q   R r
S s   T t   U u   V v   W w   X x   Y y   Z z

O conjunto dessas letras forma o **alfabeto**.

No alfabeto, as letras estão em uma ordem determinada, chamada **ordem alfabética**: primeiro o **A**, depois o **B**, em seguida o **C**, e assim por diante.

ATIVIDADES

1. Complete os quadros com as letras que estão faltando na ordem alfabética.

a) ☐ g ☐   c) ☐ u ☐   e) ☐ l ☐

b) ☐ b ☐   d) ☐ q ☐   f) ☐ w ☐

2. Resolva as charadas. **Dica:** todas as respostas são letras de nosso alfabeto.

a) Aparece três vezes em **arara**: _____

b) É a primeira letra de **zebra**, **zumbi** e **zoológico**: _____

c) Fica bem no meio de **mel**: _____

d) Pode ter **som de v** ou pode ter **som de u**. No alfabeto, vem antes do **x**: _____

e) Aparece cinco vezes no verso **"Lá vem o pato, pato aqui, pato acolá"**: _____

3. Ligue os nomes das crianças à fruta cujo nome tem o mesmo som inicial.

a) Bárbara

b) Mateus

c) Celina

d) Mercedes

e) Moacir

4. Papai vai à feira e precisa organizar uma lista com os nomes das frutas que vai comprar.

pera   banana   limão   kiwi   uva   abacaxi

Vamos ajudá-lo escrevendo o nome dos produtos em ordem alfabética.

5. Complete as frases.

a) O nome da fruta de que eu mais gosto começa com a letra _____.

b) O nome dessa fruta é _____.

c) Na lista de compras do papai, essa fruta ficaria depois de _____.

6. Juliana vai fazer aniversário e sua mãe pediu que ela faça uma lista de convidados para a festa. Ajude Juliana escrevendo o nome das crianças em ordem alfabética.

Mário   Bia   Amanda
Flora   Paulo   Guto
Daniela   Tadeu

_____

_____

ORTOGRAFIA

Ordem alfabética

1. Complete o alfabeto com as letras que faltam. Siga os modelos.

a) A – B – C – D – E – ___ – ___ – ___ – ___ – ___ – ___

___ – ___ – ___ – ___ – ___ – ___ – ___ – ___

___ – ___ – ___ – ___ – ___ – ___ – ___

b) a – b – c – d – e – ___ – ___ – ___ – ___ – ___ – ___

___ – ___ – ___ – ___ – ___ – ___ – ___ – ___

___ – ___ – ___ – ___ – ___ – ___ – ___

- Complete a frase usando a letra de fôrma imprensa.

Minha brincadeira preferida é _____

_____.

c) 𝒶 – ℬ – 𝒞 – 𝒟 – ℰ – ___ – ___ – ___ – ___ – ___

___ – ___ – ___ – ___ – ___ – ___ – ___ – ___

___ – ___ – ___ – ___ – ___ – ___ – ___

d) 𝒶 – 𝒷 – 𝒸 – 𝒹 – 𝑒 – ___ – ___ – ___ – ___

___ – ___ – ___ – ___ – ___ – ___ – ___

___ – ___ – ___ – ___ – ___ – ___ – ___

- Complete a frase usando a letra cursiva.

Meu prato preferido é _____.

CAPÍTULO 2

GRAMÁTICA

Vogais e consoantes

Leia em voz alta cada som a seguir e compare-os.

AAAAA!!!

RRRRRRR...

Em qual das situações o som fez sua língua se movimentar? Assinale:

☐ Na primeira – o menino gritando.   ☐ Na segunda – a onça feroz.

> Quando escrevemos, usamos as letras do alfabeto.
> Nosso alfabeto é dividido em vogais e consoantes.

As **vogais** são:

A   E   I   O   U

E as **consoantes** são:

B C D F G H J K L M N
P Q R S T V W X Y Z

A letra **h** não representa nenhum som, mas é uma letra de nosso alfabeto. Ela só aparece na escrita.

Observe este exemplo:

> A palavra **hoje** tem 4 letras, mas só 3 sons.

As letras **k**, **w** e **y** são utilizadas na nossa língua principalmente em:

abreviaturas – W (watt), km (quilômetro);
nomes – Wilson, Yasmin, Kelly etc.

> As letras **k**, **w** e **y** são usadas principalmente em palavras de origem estrangeira. Como o emprego de palavras com essas letras tornou-se comum no Brasil, elas passaram a fazer parte de nosso alfabeto.

Em toda palavra da língua portuguesa deve existir pelo menos uma **vogal**:

b**ala**

b**oi**

b**ule**

Sem as **vogais**, não podemos formar palavras.
As **consoantes**, sozinhas, não formam palavras.
Toda consoante precisa de uma vogal para poder formar uma palavra.
Exemplo:

> As letras **b** e **l** sozinhas nada significam, mas, se juntarmos as vogais **e** e **o**, formaremos a palavra **belo**.

ATIVIDADES

1. Leia o trecho da cantiga.

> O trem maluco
> Quando sai de Pernambuco
> Vai fazendo vuco, vuco
> Até chegar no Ceará.
>
> Rebola bola
> Você diz que dá, que dá
> Você diz que dá na bola
> Na bola você não dá.
>
> [...]

Cantiga.

a) Pinte de **azul** a(s) vogal(ais) e de **vermelho** a(s) consoante(s) que aparecem na palavra **trem**.

T　　R　　E　　M

b) A palavra **trem** tem quantas sílabas? ☐

c) Quantas vogais aparecem na palavra **trem**? ☐

2. Cante a cantiga bem rápido. O ritmo da cantiga lembra o ritmo de:

☐ uma buzina.　　☐ um trem.　　☐ um carro.

3. Escreva somente as vogais das palavras.

a) piano _____　　b) viola _____　　c) uva _____

4. Descubra os nomes dos animais completando-os com as vogais que faltam.

a) c ____ m ____ l ____

b) g ____ r ____ f ____

c) m ____ c ____ c ____

d) h ____ p ____ p ____ t ____ m ____

e) z ____ br ____

f) ____ r s ____

5. Observe as imagens e preencha os quadradinhos com as consoantes que faltam para formar as palavras.

a) ☐ u ☐ a s

b) ☐ a ☐ a

c) ☐ o ☐ a

d) ☐ o ☐ a

e) ☐ a ☐ ☐ o

6. Escreva as consoantes das palavras.

a) kiwi _____

b) barco _____

c) martelo _____

d) raposa _____

e) janela _____

f) garrafa _____

16

7. Escreva no diagrama as palavras do quadro que se relacionam à expressão central.
Dica: todas as palavras começam com consoantes!

| brincadeira | amizade | escola | ciranda |
| cantar | dançar | ilha | esperança | ordem |

Cantigas de roda

8. Leia as palavras do quadro e circule apenas as que começam com consoante. Depois desenhe no quadro os objetos que elas representam.

| amora | vela | elefante | mesa | omelete |

ORTOGRAFIA

Palavras com as, es, is, os ou us

1. Junte as sílabas e escreva as palavras.

a) | pis | ta | _____

b) | cos | te | la | _____

c) | pes | ca | dor | _____

d) | bis | coi | to | _____

e) | es | pa | da | _____

f) | cas | te | lo | _____

g) | más | ca | ra | _____

h) | ma | ris | co | _____

2. Leia a quadrinha e faça as atividades.

> Quem quiser saber meu nome
> Dê uma volta no jardim.
> O meu nome está escrito
> Numa folha de jasmim.

Quadrinha.

a) Copie na folha de jasmim as palavras da quadrinha que estão escritas com **as**, **es**, **is**, **os** ou **us**.

b) Reescreva os versos separando as palavras.
Omeunomeestáescrito
Numafolhadejasmim.

_____

_____

CAPÍTULO 3

GRAMÁTICA

Letras maiúsculas e minúsculas

Para escrever, usamos letras **maiúsculas** e **minúsculas**.
Usamos letras **maiúsculas**, por exemplo, em nomes de:

pessoas: Roberta, Daniela;
animais: Fifi, Mimi;
países: Brasil, Portugal;
estados: Alagoas, Espírito Santo;
cidades: Salvador, Recife;
oceanos: Atlântico, Pacífico;
rios: Amazonas, Tietê.

Rio Amazonas, 2017.

Usamos letras maiúsculas no **início de frases**.
Exemplo: **Os** irmãos estudam juntos.

Usamos letras **minúsculas** para escrever, por exemplo, nomes de seres e objetos: mesa, cadeira, bola, urso, copo.

ATIVIDADES

1. Dê um nome para o menino e um nome para o gato.

_____

_____

2. Leia a parlenda.

> João corta o pão,
> Maria mexe o angu,
> Teresa põe a mesa
> para a festa do tatu.
>
> Parlenda.

a) Circule as palavras do texto que começam com letra maiúscula.

b) Pinte de **verde** o nome do animal que aparece no texto.

c) Pinte de **azul** o nome do alimento que Maria está preparando.

3. Complete as frases com suas informações.

a) O meu nome é _____.

b) O estado em que moro é _____.

c) _____ é o nome da rua em que moro.

d) _____ é o nome da minha escola.

4. Leia o convite e responda às perguntas a seguir.

Convite de Aniversário

Aniversário de 7 anos do Luiz Fernando.
Venha comemorar essa data especial!

Sábado, 26 de agosto, às 16 horas.
Rua Sepetiba, 47 – Salão de festas.

a) De quem é a festa de aniversário?

_____

b) Quando e em que horário será realizada a festa?

_____

c) Qual é o local da festa?

_____

5. Complete o convite abaixo para convidar os amigos para seu aniversário!

Aniversário da(o) _____

_____ , _____ de _____ , às _____ horas.
Rua

ORTOGRAFIA

Palavras com ar, er, ir, or ou ur

1. Observe as imagens e complete corretamente as palavras com **ar**, **er**, **ir**, **or** ou **ur**.

a)  b_____co

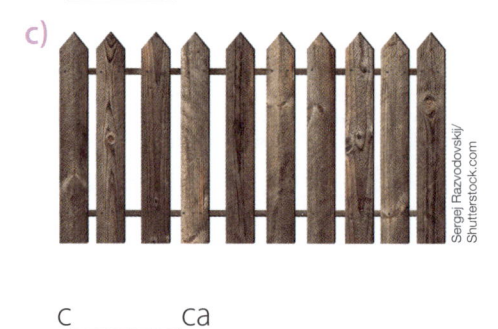

d)  p_____ta

b) t_____ta

e)  _____so

c) c_____ca

f)  c_____co

2. Complete as palavras com **ar**, **er**, **ir**, **or** ou **ur** e, depois, escreva-as.

a) _____va _____

b) g_____fo _____

c) _____gola _____

d) c_____da _____

e) _____mão _____

f) tamb_____ _____

g) t_____ma _____

h) c_____ca _____

i) c_____tina _____

j) v_____de _____

3. Encontre no texto palavras com sílabas que contenham **ar**, **er**, **ir**, **or** ou **ur** e circule-as.

> [...] Oliver adora enrolar novelos de lã.
> Desliza as patas lentamente pelos fios peludos, que seguem em linha reta pelo chão, e com o nariz e o bigode atentamente voltados para frente, com movimentos simples pelo ar, começa essa brincadeira única, cheia de miados, alegria e mistério.
> Enquanto Oliver faz essa surpresa, mergulha sua imaginação nas coisas que viu durante o dia.
> E o tempo passa assim para esse gato; horas de cores, horas de fantasia.
> [...]

Jussara Braga. *Enrolando novelo de lã*. São Paulo: Editora do Brasil, 2010. p. 6-7.

4. Copie as palavras que você circulou no texto da atividade 3.

_____

_____

_____

5. Junte as sílabas e forme palavras.

a) | i | o | gur | te | _____

b) | bor | bo | le | ta | _____

c) | por | tei | ra | _____

d) | cor | ti | na | _____

e) | ir | man | da | de | _____

f) | co | lar | _____

g) | par | que | _____

h) | cor | da | _____

6. Leia a fábula e responda às perguntas.

Os viajantes e o urso

Dois homens viajavam juntos quando, de repente, surgiu um urso de dentro da floresta e parou diante deles, urrando. Um dos homens tratou de subir na árvore mais próxima e agarrar-se aos ramos. O outro, vendo que não tinha tempo para esconder-se, deitou-se no chão, esticado, fingindo de morto, porque ouvira dizer que os ursos não tocam em homens mortos.

O urso aproximou-se, cheirou o homem deitado, e voltou de novo para a floresta. Quando a fera desapareceu, o homem da árvore desceu apressadamente e disse ao companheiro:

– Vi o urso a dizer alguma coisa no teu ouvido. Que foi que ele disse?

– Disse que eu nunca viajasse com um medroso.

Na hora do perigo é que se conhecem os amigos.

Guilherme Figueiredo. Os viajantes e o urso. *In*: Ana Rosa Abreu *et al*. *Alfabetização*: Livro do Aluno – Contos tradicionais, fábulas, lendas e mitos. Brasília, DF: MEC, 2000. v. 2, p. 98. Disponível em: www.dominiopublico.gov.br/download/texto/me001614.pdf. Acesso em: 8 jan. 2021.

a) Quem são os personagens da fábula?

_____

b) O que aconteceu que os deixou assustados?

_____

c) Copie a frase que apresenta a moral dessa história.

_____

CAPÍTULO 4

GRAMÁTICA

Encontro vocálico

Complete os nomes das imagens escrevendo duas vogais em cada lacuna.

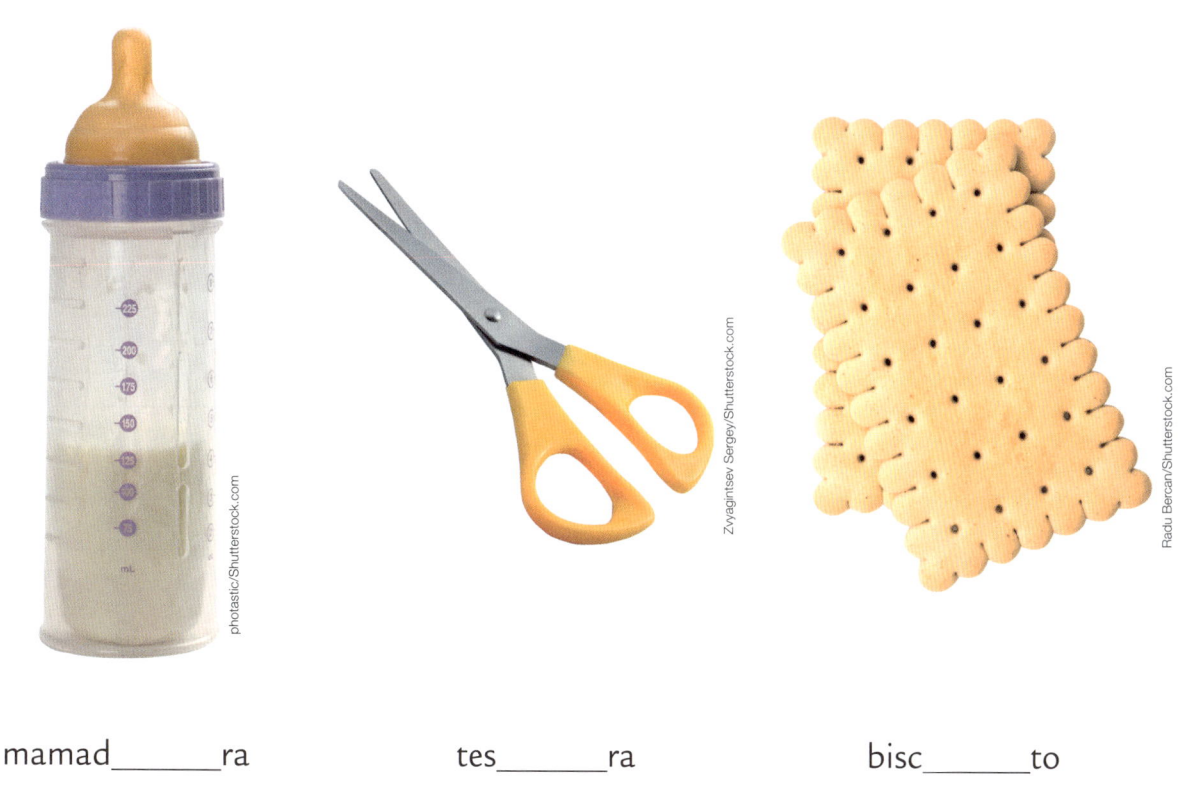

mamad_____ra   tes_____ra   bisc_____to

Em cada lacuna foi preciso colocar duas vogais seguidas para escrever corretamente o nome das imagens.

Em cada uma dessas palavras temos um **encontro vocálico**. Veja:

EI   OU   OI

> **Encontro vocálico** é o encontro de duas ou mais vogais em uma palavra.

As vogais são: **A, E, I, O, U**.

ATIVIDADES

1. Escreva o nome das imagens e circule os encontros vocálicos.

a)

b)

c)

d)

e)

f)

2. Observe a capa do livro e faça as atividades a seguir.

a) Circule o nome do autor.
b) Circule o título do livro.
c) No título, sublinhe uma palavra que apresenta um **encontro vocálico**.
d) O que será que pode acontecer numa **pequena grande viagem**? Observe a ilustração para responder.

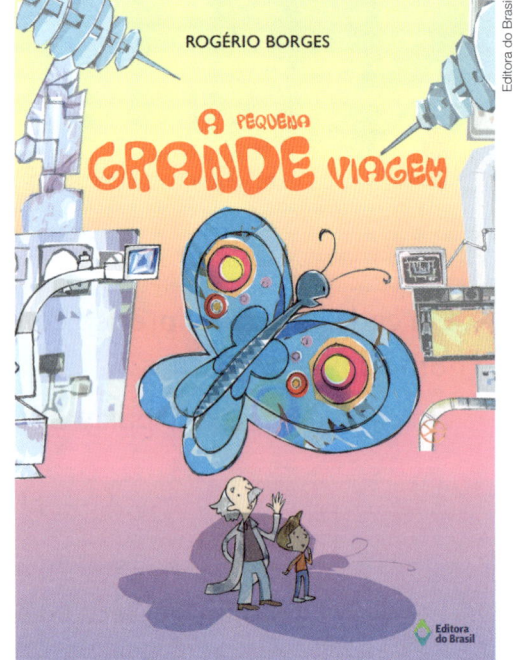

3. Junte as sílabas e circule os **encontros vocálicos**.

a) | foi | ce | _____

b) | sa | bão | _____

c) | be | be | dou | ro | _____

d) | a | mo | rei | ra | _____

e) | cai | xo | te | _____

f) | au | men | to | _____

4. Complete as palavras com os **encontros vocálicos** do quadro.

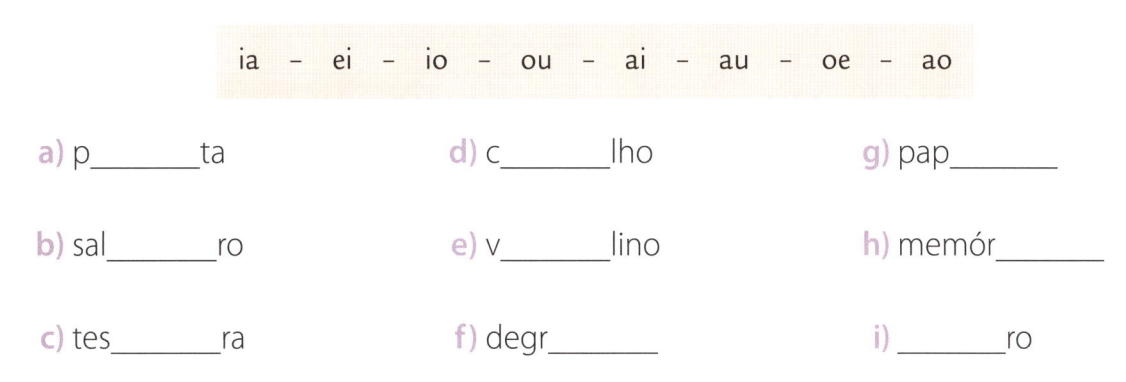

ia – ei – io – ou – ai – au – oe – ao

a) p_____ta   d) c_____lho   g) pap_____

b) sal_____ro   e) v_____lino   h) memór_____

c) tes_____ra   f) degr_____   i) _____ro

5. Observe a ilustração e complete o texto com o nome de dois animais em cujos nomes há encontro vocálico.

Lucas adora brincar de pirata em seu quarto!

Quando olha seus _____ no aquário, já se imagina vivendo grandes

aventuras no mar, sempre acompanhado por seu _____.

ORTOGRAFIA

Palavras com am, em, im, om ou um

1. Complete com **m** e, depois, escreva as palavras.

a) ta____pa _____

b) li____peza _____

c) so____bra _____

d) te____po _____

e) lâ____pada _____

f) ca____po _____

> Antes das letras **b** e **p**, escrevemos a letra **m**.

2. Organize as sílabas e escreva as palavras.

a) bu | bam _____

b) da | pa | em _____

c) bom | nha | bi _____

d) bo | tom _____

e) bi | um | go _____

f) ba | sam _____

Bambuzal, Croácia, 2015.

3. Responda às adivinhas. **Dica:** as respostas contêm **m** ou **n**.

a) O que é que entra na água e não se molha? _____

b) O que é que, de dia, fica no céu e, à noite, na água? _____

c) O que é que tem coroa, mas não é rei; tem raiz, mas não é planta? _____

d) Qual é a palavra que só tem três letras e acaba com tudo? _____

4. Leia o *e-mail* que Rebeca recebeu da escola de seu filho, Pedro.

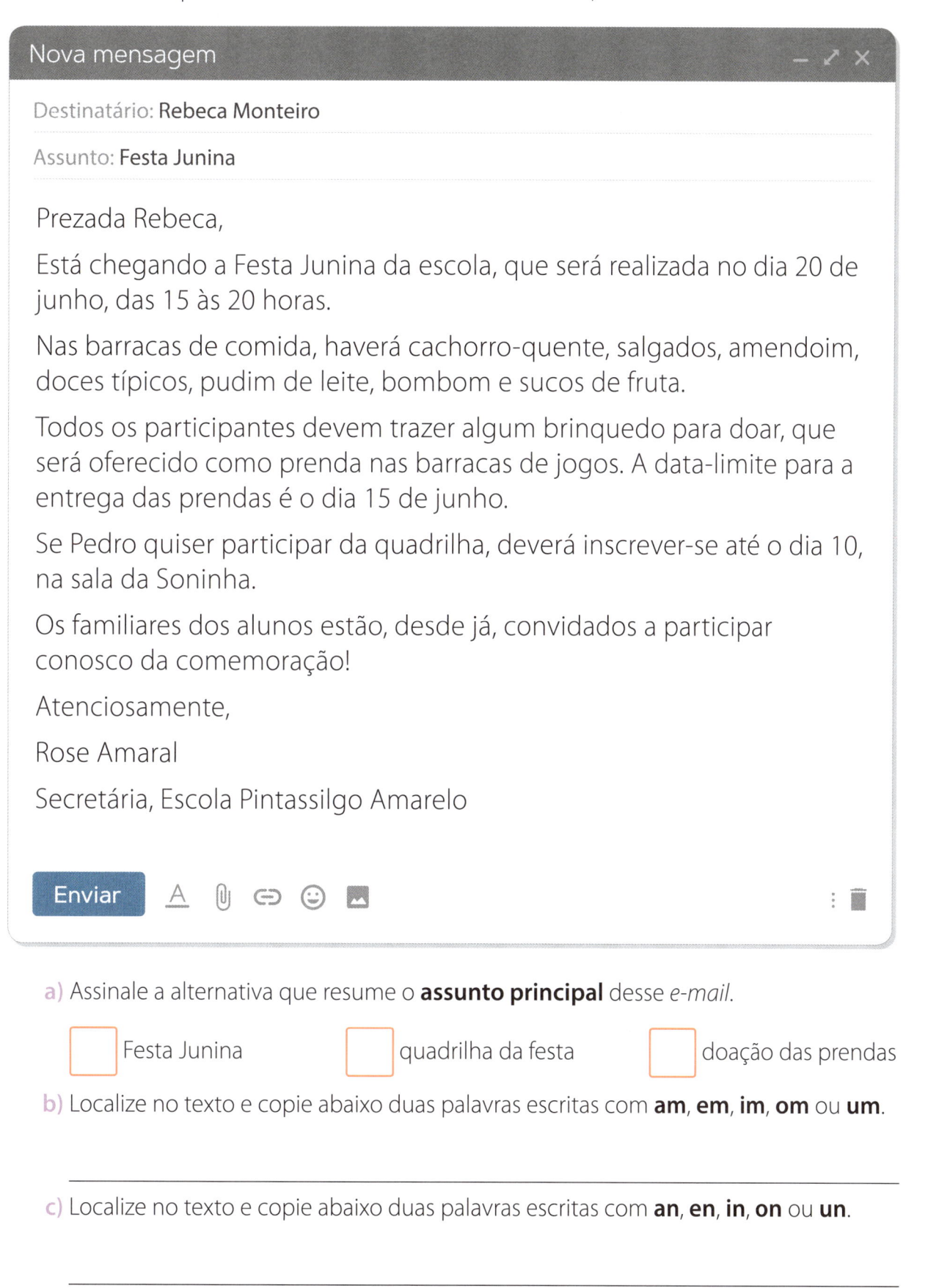

Nova mensagem

Destinatário: **Rebeca Monteiro**

Assunto: **Festa Junina**

Prezada Rebeca,

Está chegando a Festa Junina da escola, que será realizada no dia 20 de junho, das 15 às 20 horas.

Nas barracas de comida, haverá cachorro-quente, salgados, amendoim, doces típicos, pudim de leite, bombom e sucos de fruta.

Todos os participantes devem trazer algum brinquedo para doar, que será oferecido como prenda nas barracas de jogos. A data-limite para a entrega das prendas é o dia 15 de junho.

Se Pedro quiser participar da quadrilha, deverá inscrever-se até o dia 10, na sala da Soninha.

Os familiares dos alunos estão, desde já, convidados a participar conosco da comemoração!

Atenciosamente,

Rose Amaral

Secretária, Escola Pintassilgo Amarelo

Enviar

---

a) Assinale a alternativa que resume o **assunto principal** desse *e-mail*.

☐ Festa Junina ☐ quadrilha da festa ☐ doação das prendas

b) Localize no texto e copie abaixo duas palavras escritas com **am**, **em**, **im**, **om** ou **um**.

_____

c) Localize no texto e copie abaixo duas palavras escritas com **an**, **en**, **in**, **on** ou **un**.

_____

5. Ligue as palavras à letra que está faltando e complete as palavras.

a) pla_____ta

b) ba_____bolê

c) ca_____guru

d) marro_____

e) ca_____po

f) i_____dígena

g) álbu_____

h) pi_____go

M

N

Canguru.

6. Escolha no quadro a palavra que completa corretamente as frases.

| garagem | barragem | viagem |
| imagem | plumagem | margem |

a) As aves têm uma linda _____.

b) O carro está na _____.

c) Betina foi passear na _____.

d) A árvore foi plantada na _____ do rio.

e) Fizemos uma _____ para a casa da vovó.

f) É linda a _____ daquele quadro.

7. Leia as palavras e escreva as consoantes.

a) friagem _____

b) personagem _____

c) carruagem _____

d) bandagem _____

e) passagem _____

f) ninguém _____

8. Leia o trava-língua em voz alta, o mais rápido que puder, tentando não travar a língua!

> O tempo perguntou pro tempo quanto tempo o tempo tem. O tempo respondeu pro tempo que o tempo tem tanto tempo quanto tempo o tempo tem.

Trava-língua.

9. Assinale as frases corretas sobre o trava-língua.

- [ ] É uma brincadeira com as palavras.
- [ ] Contém dados científicos sobre o tempo.
- [ ] Tem a finalidade de ensinar uma cantiga.
- [ ] Apresenta repetições de sons que dificultam a fala.
- [ ] Dá notícias sobre a previsão do tempo.

10. Reescreva as frases substituindo as imagens por palavras.

a) O 🐦 bebia água da ⛲.

_____

b) A 🐆 fugiu ao ouvir o som do 🥁.

_____

c) Não comi 🍮 porque estou com dor de 🦷.

_____

CAPÍTULO 5

GRAMÁTICA

Encontro consonantal

Leia as palavras a seguir e observe os destaques.

bici**cl**eta   **tr**em

Nas palavras **bicicleta** e **trem** há duas consoantes juntas: **cl** e **tr**.

> Duas consoantes juntas na mesma palavra formam um **encontro consonantal**.

As consoantes são: **B, C, D, F, G, H, J, K, L, M, N, P, Q, R, S, T, V, W, X, Y, Z.**

ATIVIDADES

1. Sublinhe os encontros consonantais das palavras a seguir.

   a) graxa
   b) planeta
   c) palavra
   d) groselha
   e) prova
   f) globo
   g) recreio
   h) primo
   i) cabra
   j) cofre
   k) bicicleta
   l) estrela

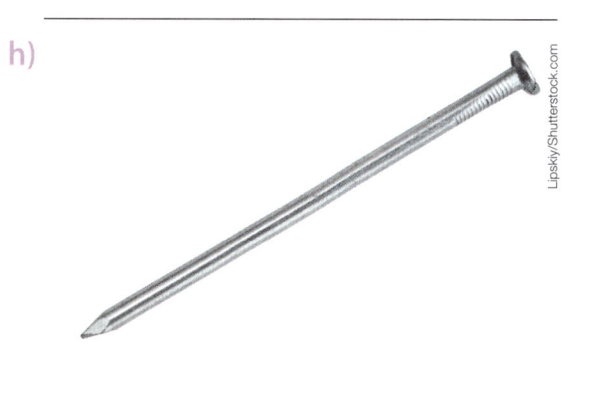

2. Escreva o nome das imagens e circule os encontros consonantais.

a)

b)

c)

d)

e)

f)

g)

h)

3. Forme palavras juntando as sílabas e destaque os encontros consonantais.

a) tre | vo _____ _____

b) pla | ca _____ _____

c) co | fre _____ _____

d) bra | ço _____ _____

e) i | gre | ja _____ _____

f) te | a | tro _____ _____

4. Descubra cinco palavras com encontro consonantal no quadro a seguir.

B	L	F	L	A	G	R	U	T	A	E	N	F
L	N	B	X	F	V	G	A	C	O	G	C	I
O	G	B	R	U	X	A	L	X	I	M	R	R
C	Q	U	S	I	L	U	O	F	X	S	U	C
O	F	X	T	X	O	P	R	T	C	E	Z	A
L	X	A	F	L	E	C	H	A	P	D	O	S

5. Complete o trava-língua com os encontros consonantais **tr** ou **gr**.

O tatu todo treloso

Tirou a _____ufa da truta

Trancou o ti_____e na toca

Travou o _____ompete da traça
O tatu todo tinhoso
Tramou com a trupe da praça

A _____uta, o ti_____e e a _____aça

Não acharam a menor _____aça

Rosinha. *Abc do trava-língua*. São Paulo: Editora do Brasil, 2012. p. 14.

ORTOGRAFIA

Palavras com br, cr, dr, fr, gr, pr, tr ou vr

1. Forme palavras seguindo o modelo. Depois, escreva-as.

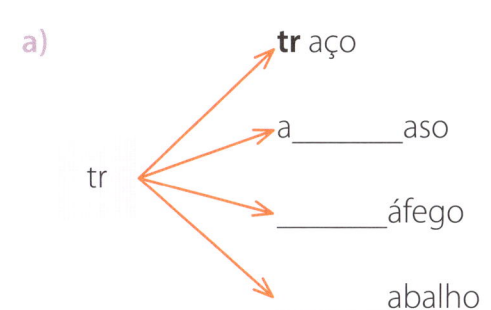

a)
- **tr** aço → traço
- tr + a_____aso → _____
- tr + _____áfego → _____
- tr + _____abalho → _____

Tráfego de veículos em Recife, 2019.

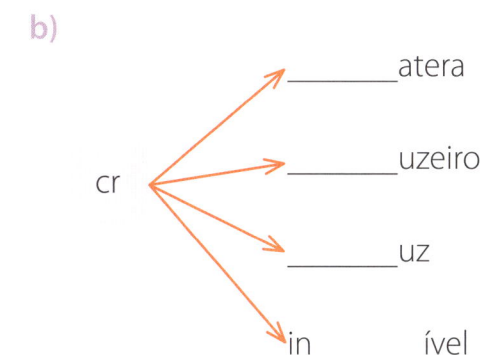

b)
- cr + _____atera → _____
- cr + _____uzeiro → _____
- cr + _____uz → _____
- cr + in_____ível → _____

Cratera de Barringer, Estados Unidos, aberta por um meteorito há aproximadamente 50 mil anos.

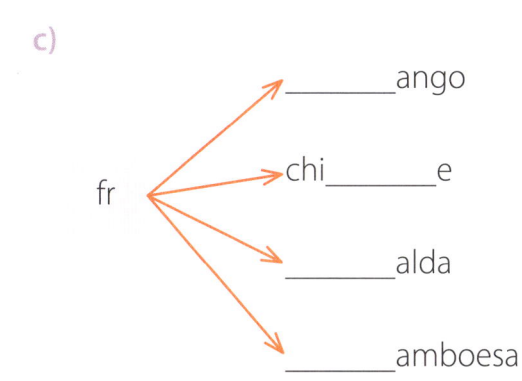

c)
- fr + _____ango → _____
- fr + chi_____e → _____
- fr + _____alda → _____
- fr + _____amboesa → _____

Framboesa.

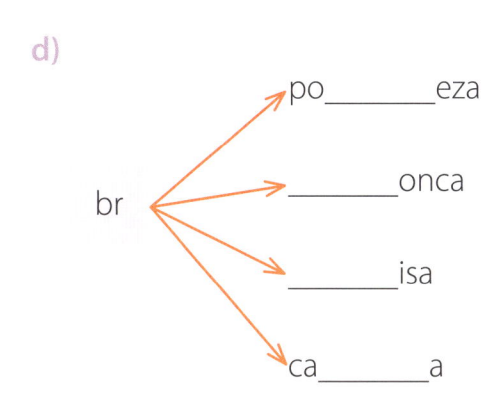

d)
- br + po_____eza → _____
- br + _____onca → _____
- br + _____isa → _____
- br + ca_____a → _____

Cabra.

35

2. Junte as sílabas e forme palavras.

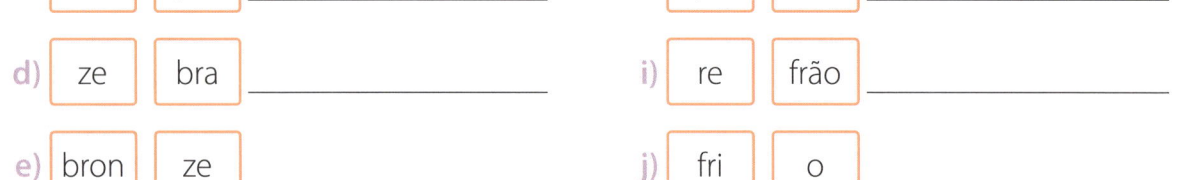

a) gra | ça _____   f) la | cre _____

b) trom | ba _____   g) vi | dro _____

c) com | pra _____   h) qua | dro _____

d) ze | bra _____   i) re | frão _____

e) bron | ze _____   j) fri | o _____

3. Reescreva as frases substituindo as imagens pelos nomes.

a) Meu pai pendurou o ▢ na parede.

_____

b) Lucas ganhou um 🎁 de aniversário.

_____

c) O 🪟 da janela está quebrado.

_____

d) Terminei de ler o 📕.

_____

e) É perigoso andar nos 🛤 do 🚂.

_____

4. Leia o início deste conhecido conto.

Branca de Neve

Era uma vez uma princesa que se chamava Branca de Neve. Quando bebê, sua mãe faleceu, e seu pai se casou com outra mulher, que, embora fosse muito bonita, era cruel e vaidosa. E, todos os dias, a madrasta perguntava ao seu Espelho Mágico:
– Espelho, espelho meu, existe alguém mais bela do que eu?
– Não, rainha! Em todo o mundo, não há beleza mais deslumbrante que a sua!
Ela sorria, virava as costas e se entretinha com seus afazeres reais.
Porém, Branca de Neve cresceu e se tornou uma jovem de beleza única. Certo dia, ao repetir a mesma pergunta ao Espelho, a rainha se surpreendeu:
– Lamento, mas Branca de Neve se tornou a mais bela.
Não se aguentando de inveja, a rainha chamou um de seus guardas e ordenou:
– Conduza a princesa até o bosque e acabe com a vida dela.
O homem acatou. Porém, ao chegar à floresta, disse:
– Fuja e não volte! Sua madrasta deseja fazer mal a você!
[...]

Ricardo Moreira Figueiredo Filho. *Branca de Neve*. Brasília, DF: MEC, 2020. p. 3-5. (Coleção Conta pra Mim). Disponível em: http://alfabetizacao.mec.gov.br/images/conta-pra-mim/livros/versao_digital/branca_de_neve_versao_digital.pdf. Acesso em: 8 jan. 2021.

5. Escreva o nome dos personagens que têm as características a seguir.

a) Bonita, cruel e vaidosa: _____.

b) Jovem de beleza única: _____.

6. Ligue a frase à alternativa correta.

porque queria conhecer a floresta.

Branca de Neve precisou fugir...

porque a madrasta mandou o guarda acabar com a vida dela.

porque sentia medo de ladrões.

CAPÍTULO 6

GRAMÁTICA

Dígrafos

Leia as palavras a seguir observando os destaques.

ja**rr**a

2 letras
1 som

chave

2 letras
1 som

Nas palavras **jarra** e **chave**, as letras **rr** e **ch** se juntam para indicar um som. Temos, nesse caso, um **dígrafo**.

> **Dígrafo** é o encontro de duas letras que representam um único som.

Conheça alguns dígrafos:

| ch | lh | nh | gu | qu | rr | ss | sc | sç | xc |

Dígrafo é diferente de encontro consonantal.

Nas palavras **piscina** e **escada**, por exemplo, o **sc** de **piscina** é um dígrafo, pois representa **um único som** quando pronunciamos a palavra. Já em **escada**, o **sc** é um encontro consonantal.

> As letras **gu** e **qu** só são dígrafos quando estão antes das vogais **e** ou **i** e representam um único som.

ATIVIDADES

1. Escreva o nome das imagens destacando os dígrafos.

a)

b)

c)

d)

e)

f)

2. Preencha corretamente os espaços com os dígrafos a seguir.

lh	nh	ch

a) i_____a

b) ve_____ice

c) assoa_____o

d) cava_____eiro

e) monta_____a

f) dese_____o

g) cozi_____eiro

h) u_____a

i) _____iclete

j) re_____eio

k) _____ave

l) _____u_____u

3. Encontre no diagrama seis palavras com os dígrafos **gu** e **qu**.

C	D	B	A	S	Q	U	E	T	E	B	I	L	H	F	O	I	I
I	B	A	R	P	U	L	Ç	G	U	E	R	R	E	I	R	O	G
G	N	Q	U	I	B	E	W	T	V	Q	T	L	D	N	A	B	C
U	Q	F	H	R	Q	I	Z	U	I	I	M	O	B	V	Y	O	S
I	Z	H	K	F	G	U	P	A	N	Q	U	E	C	A	B	G	P
A	X	N	E	Z	M	O	B	V	Y	O	S	J	K	N	O	A	B
J	F	Y	X	S	G	U	I	N	D	A	S	T	E	P	S	B	Y

- Agora, escreva as palavras abaixo, nas colunas correspondentes.

gu	qu

4. Circule os dígrafos das palavras.

a) corrente

b) massinha

c) águia

d) chuvisco

e) matilha

f) quiabo

5. Junte as sílabas, formando palavras, e destaque os dígrafos.

a) guer | ra _____ _____

b) com | pro | mis | so _____ _____

c) es | pe | lho _____ _____

d) ex | ce | len | te _____ _____

e) cres | ço _____ _____

f) pis | ci | na _____ _____

6. Preencha o diagrama com os nomes dos objetos e seres representados nas imagens.
   Dica: todos contêm os dígrafos **ss** ou **rr**.

ORTOGRAFIA

Palavras com cha, che, chi, cho ou chu

> As letras **ch** não podem ser separadas.

1. Forme palavras. Depois, escreva-as.

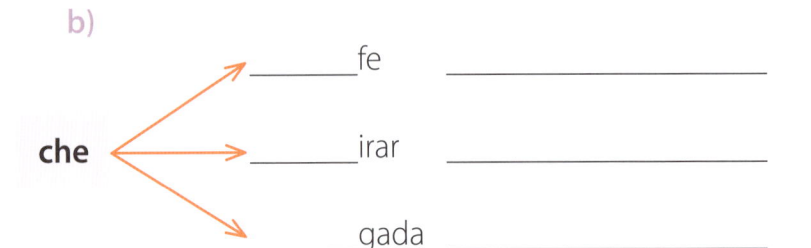

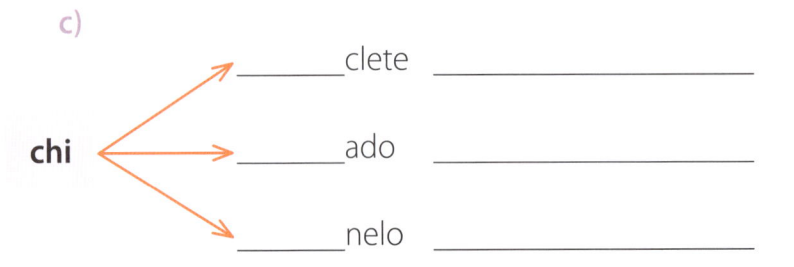

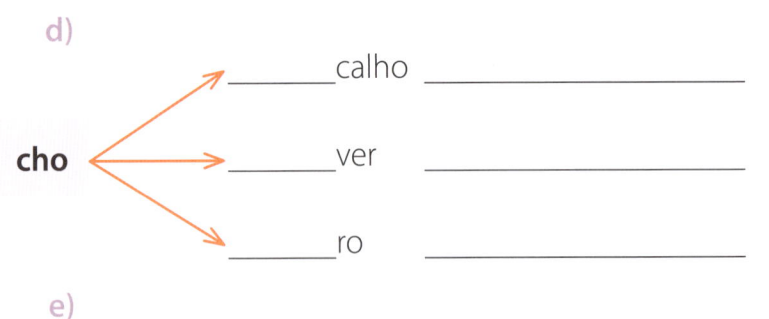

a)

cha
- _____lé _____
- _____rada _____
- _____leira _____

Chalé.

b)

che
- _____fe _____
- _____irar _____
- _____gada _____

Cheirar.

c)

chi
- _____clete _____
- _____ado _____
- _____nelo _____

Chinelo.

d)

cho
- _____calho _____
- _____ver _____
- _____ro _____

Chocalhos mexicanos.

e)

chu
- _____va _____
- _____veiro _____
- _____chu _____

Chuveiro.

42

2. Leia a notícia e, depois, sublinhe o título.

CACHORRO ATACADO POR JACARÉ É SALVO PELO DONO DE 74 ANOS

Um idoso vem recebendo elogios por sua atitude heroica ao pular em um lago para salvar seu cachorro do ataque de um jacaré. Richards Wilbanks, um aposentado de 74 anos, passeava com Gunner, um Cavalier King Charles Spaniel de 3 meses, quando foi surpreendido pelo réptil. O caso aconteceu na região de Estero, na Flórida, Estados Unidos, e foi gravado por câmeras instaladas para documentar a vida animal no local.

[...]

O episódio durou poucos segundos, mas foi o suficiente para que sua mão fosse "mastigada". Wilbanks precisou tomar uma vacina antitetânica. Já Gunner sofreu apenas pequenos cortes e, após visita ao veterinário, passa bem.

Flávia de Paula Castro. Cachorro atacado por jacaré é salvo [...]. *Megacurioso*, [s. l.], 25 nov. 2020. Disponível em: www.megacurioso.com.br/estilo-de-vida/116851-cachorro-atacado-por-jacare-e-salvo-pelo-dono-de-74-anos.htm. Acesso em: 11 jan. 2021.

a) Copie as palavras da notícia que são escritas com **ch**.

_____

b) Marque a opção que indica o perigo que o cachorro e seu dono enfrentaram.

☐ Um gato.

☐ Um jacaré.

☐ Um leão.

c) Contorne o parágrafo que relata como o ataque terminou.

3. O objetivo da notícia é:

☐ contar uma história inventada sobre um cachorro.

☐ mostrar rimas com a palavra "cachorro".

☐ relatar um fato que aconteceu com um cachorro.

CAPÍTULO 7

GRAMÁTICA

Sílabas

Leia bem devagar as palavras a seguir.

cola   caderno

Fale bem devagar a palavra **cola**.

Para falar a palavra **cola**, você pronuncia duas sílabas, assim:

co la

A palavra cola tem dois pedacinhos: **co la**.

Cada pedacinho é uma **sílaba**.

Agora, fale bem devagar a palavra **caderno**.

Para falar a palavra **caderno**, você pronuncia três sílabas, assim:

ca der no

Cada pedacinho é uma **sílaba**.

> A **sílaba** é formada por um ou mais sons pronunciados de uma só vez. Na língua portuguesa, não existe sílaba sem vogal.

ATIVIDADES

1. Leia o trecho da letra desta cantiga e sublinhe as palavras que rimam.

Se essa rua, se essa rua fosse minha,
Eu mandava, eu mandava ladrilhar
Com pedrinhas, com pedrinhas de brilhante
Para o meu, para o meu amor passar.

Cantiga.

a) Separe as sílabas das palavras abaixo.

- rua _____
- ladrilhar _____
- minha _____
- pedrinhas _____

b) Pinte os quadradinhos que contêm vogais da palavra **pedrinhas**.

| p | e | d | r | i | n | h | a | s |

c) Pinte os quadradinhos que contêm consoantes da palavra **pedrinhas**.

| p | e | d | r | i | n | h | a | s |

d) Quantas vogais aparecem na palavra **pedrinhas**? _____

e) Quantas sílabas há na palavra **pedrinhas**? _____

2. Reescreva outros versos dessa cantiga separando corretamente as palavras.

Nessarua,nessaruatemumbosque
Quesechama,quesechamasolidão.

Dentrodele,dentrodelemoraumanjo
Queroubou,querouboumeucoração.

_____

_____

_____

_____

3. Separe as sílabas das palavras conforme o modelo.

pato ⟶ pa-to

a) bala _____   e) peteca _____

b) galo _____   f) sapato _____

c) pote _____   g) garoto _____

d) sapo _____   h) palito _____

4. Circule a palavra que **não** pertence a cada grupo. **Dica:** conte o número de sílabas.

mamão	cavalo	caneta
melão	cocada	mel
pão	banana	mar
pião	bolo	céu

5. Ligue as palavras que começam com a mesma sílaba.

a) mato   esquilo
b) cabra   maleta
c) linha   casa
d) escola   gato
e) galinha   livro

Esquilo.

6. Copie a primeira sílaba das palavras a seguir. Depois, escreva uma outra palavra que comece com a sílaba copiada.

a) sinuca _____ _____   f) gaveta _____ _____

b) foca _____ _____   g) colete _____ _____

c) careta _____ _____   h) espaço _____ _____

d) parede _____ _____   i) mesa _____ _____

e) camisa _____ _____   j) lebre _____ _____

7. Ordene as sílabas, forme palavras e, depois, separe-as.

a) la | ma _____ _____

b) da | ro _____ _____

c) da | es | ca _____ _____

d) ve | fi | la _____ _____

e) bor | le | ta | bo _____ _____

8. Escreva palavras que comecem com as sílabas a seguir.

a) ma _____   d) fa _____   g) bo _____

b) ca _____   e) fi _____   h) pi _____

c) sa _____   f) ro _____   i) ga _____

9. Escreva o nome dos seres ou objetos representados pelas imagens. Depois, sublinhe a última sílaba das palavras.

a) _____

b) _____

c) _____

d) _____

e) _____

f) _____

ORTOGRAFIA

Palavras com lha, lhe, lhi, lho ou lhu

1. Escreva o nome do que está representado nas imagens. Depois, sublinhe as sílabas **lha** e **lho**.

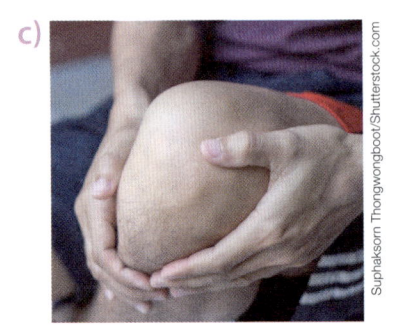

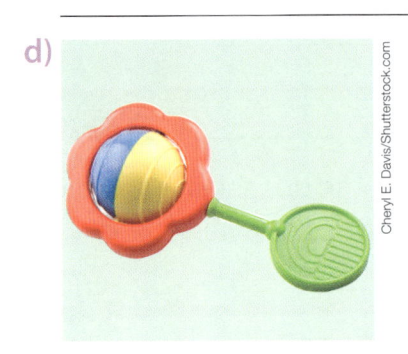

a) _____

b) _____

c) _____

d) _____

2. Empregue as sílabas **lha**, **lhe**, **lhi** ou **lho** para completar as palavras e, depois, copie-as.

> Na separação silábica, as letras **lh** ficam sempre juntas.

a) mi_____ _____

b) ove_____ _____

c) mu_____r _____

d) traba_____ _____

e) meda_____sta _____

f) te_____do _____

g) co_____r _____

h) bi_____te _____

i) bo_____nha _____

j) verme_____ _____

3. Leia a ficha técnica de um animal. Depois, sublinhe, no texto, as informações solicitadas.

FICHA TÉCNICA

Nome popular: Coelho.
Nome científico: *Oryctolagus cuniculus.*
[...]
Onde vive: em lugares com muito verde. Pode ser encontrado em todas as regiões do Brasil.
Hábitat natural: Europa.
Hábitos alimentares: é herbívoro. Come grandes quantidades de folhas, raízes, caules, grãos e cascas de algumas árvores.
Tamanho: de 18 a 30 centímetros.
Peso: 3 a 4 kg.
Período de gestação: 30 a 40 dias.
Filhotes: pode ter de 3 a 6 ninhadas por ano. Cada vez que engravida, nascem de 4 a 12 filhotes. Assim, a coelha pode chegar a ter 70 filhotes em um ano.
Tempo médio de vida: 5 a 10 anos.

Como cuidar de um coelho de estimação. *Plenarinho*, Brasília, DF, 22 set. 2015. Disponível em: https://memoria.ebc.com.br/infantil/2015/09/como-cuidar-de-um-coelho-de-estimacao. Acesso em: 12 jan. 2021.

a) Qual é o nome do animal citado no texto?

b) O que esse animal costuma comer?

c) Quantos filhotes esse animal costuma ter por ninhada?

d) Em que lugares vive esse animal?

e) Qual é o tempo médio de vida desse animal?

4. Marque a frase que explica o objetivo da ficha técnica.

☐ Conta uma história na qual o coelho é um personagem.

☐ Fornece informações sobre o animal coelho.

☐ Discute a ameaça que os coelhos representam às plantações.

CAPÍTULO 8

GRAMÁTICA

Número de sílabas

As sílabas formam as palavras.

Uma palavra pode ter **uma**, **duas**, **três**, **quatro** ou **mais sílabas**. Observe:

flor

pato

peteca

maracujá

hipopótamo

A palavra flor tem **uma** sílaba.

A palavra pa to tem **duas** sílabas.

A palavra pe te ca tem **três** sílabas.

A palavra ma ra cu já tem **quatro** sílabas.

A palavra hi po pó ta mo tem **cinco** sílabas.

Conforme o número de sílabas, as palavras podem ser:

monossílabas   dissílabas   trissílabas   polissílabas

- São **monossílabas** as palavras formadas por **uma só sílaba**.

nó

mão

- São **dissílabas** as palavras formadas por **duas sílabas**.

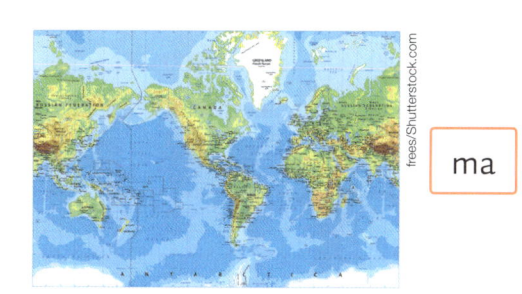

ma | pa

la | ta

- São **trissílabas** as palavras formadas por **três sílabas**.

cor | ne | ta

ca | mi | sa

- São **polissílabas** as palavras formadas por **quatro** ou **mais sílabas**.

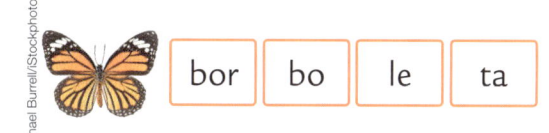

bor | bo | le | ta

ri | no | ce | ron | te

ATIVIDADES

1. Leia o trava-língua e, depois, complete cada coluna da tabela com palavras retiradas do texto.

> Em cima daquele morro há um ninho de mafagafos, com sete mafagafinhos dentro. Quem os desmafagafizar, bom desmafagatizador será!

Trava-língua.

Palavras monossílabas	Palavras dissílabas	Palavras trissílabas	Palavras polissílabas
___	___	___	___
___	___	___	___
___	___	___	___
___	___	___	___

2. Substitua as sílabas em destaque pelas sílabas entre parênteses e escreva a palavra formada.

a) **ni**nho (pi) _____

b) ni**nho** (nar) _____

c) **ci**ma (ca) _____

d) ci**ma** (da+de) _____

e) **mor**ro (ber) _____

f) **au**la (te) _____

3. Escreva três palavras usando as sílabas abaixo.

pe   ni   nho   que   no   ro   pi   me

_____

4. Faça conforme o modelo.

	escova	es-co-va	3	trissílaba
a)	fonte			
b)	lama			
c)	pitanga			
d)	batucada			
e)	megafone			
f)	chá			
g)	laranja			

5. Leia as palavras abaixo. Depois, classifique-as quanto ao número de sílabas, escrevendo-as na tabela.

mala	rei	sol	favela
mel	lapiseira	marmelada	grilo
luneta	chão	boi	caranguejo
jabuticaba	folha	leite	bule
salada	colega	saboneteira	soldado

Monossílabas	Dissílabas	Trissílabas	Polissílabas

6. Relacione os objetos e seres ao número de sílabas que o nome deles possui. Depois, escreva o nome de cada um deles.

a)

_____

monossílaba

b)

_____

dissílaba

c)

_____

trissílaba

d)

_____

polissílaba

e)

_____

ORTOGRAFIA

Palavras com nha, nhe, nhi, nho ou nhu

> Na separação silábica, as letras **nh** ficam sempre juntas.

1. Preencha os espaços com **nha**, **nhe**, **nhi**, **nho** ou **nhu** e, depois, copie as palavras.

a) monta_____ _____   f) dese_____sta _____

b) ba_____iro _____   g) moi_____ _____

c) mi_____ca _____   h) compa_____a _____

d) reba_____ _____   i) ne_____ma _____

e) sardi_____ _____   j) co_____cimento _____

2. Reescreva as frases substituindo as imagens pelos nomes.

a) O _____ é um animal inteligente.

_____

_____

b) O _____ era de _____ com molho de tomate.

_____

_____

c) Dizem que as _____ trazem sorte.

_____

_____

3. Separe as sílabas, circule os dígrafos e escreva as palavras.

> **ATENÇÃO**
> Duas letras representando apenas um som é um dígrafo.

a) aranha _____   _____

b) carinho _____   _____

c) companheiro _____   _____

4. Leia a letra da cantiga e circule as palavras que rimam.

A galinha do vizinho

A galinha do vizinho
Bota ovo amarelinho.
Bota um, bota dois,
Bota três, bota quatro,
Bota cinco, bota seis,
Bota sete, bota oito,
Bota nove, bota dez!

Cantiga.

a) Escreva a palavra da cantiga que tem um som semelhante ao das palavras **vizinho** e **amarelinho**. _____

b) Na cantiga, qual palavra é repetida várias vezes? _____

5. Observe as imagens. Assinale as situações em que as cantigas costumam ser cantadas (ou escutadas).

☐ Roda de brincadeira.   ☐ Festa de aniversário.   ☐ Sessão de cinema.

CAPÍTULO 9

GRAMÁTICA

Sílaba tônica

Toda palavra tem uma sílaba mais forte.
Pronuncie as palavras a seguir em voz alta.

aba**ca**te

jabu**ti**

Quando você diz a palavra **abacate**, pronuncia com mais força a sílaba **ca**.
Quando diz a palavra **jabuti**, você pronuncia com mais força a sílaba **ti**.

Sílaba tônica é a sílaba mais forte da palavra, ou seja, é aquela pronunciada com mais força.

Observe a sílaba tônica em destaque destas outras palavras:

lancha

sor**ve**te

fu**nil**

ATIVIDADES

1. Copie os versos inserindo espaço entre as palavras e tente descobrir a resposta da adivinha! **Dica:** é muito usado na cozinha.

> Oqueé, oqueé?
> Adivinhesepuder:
> Temumacabeçacheiadedentes.
> Nãoébicho, nãoégente.

Adivinha.

_____

_____

_____

_____

Resposta da adivinha: _____.

2. Divida as palavras em sílabas e sublinhe a sílaba tônica. Depois, escreva uma palavra que começa com a sílaba que você sublinhou.

a) cabeça _____ _____

b) dentes _____ _____

c) bicho _____ _____

d) tomate _____ _____

e) querosene _____ _____

f) xarope _____ _____

3. Separe as sílabas e circule a sílaba tônica. Siga o modelo.

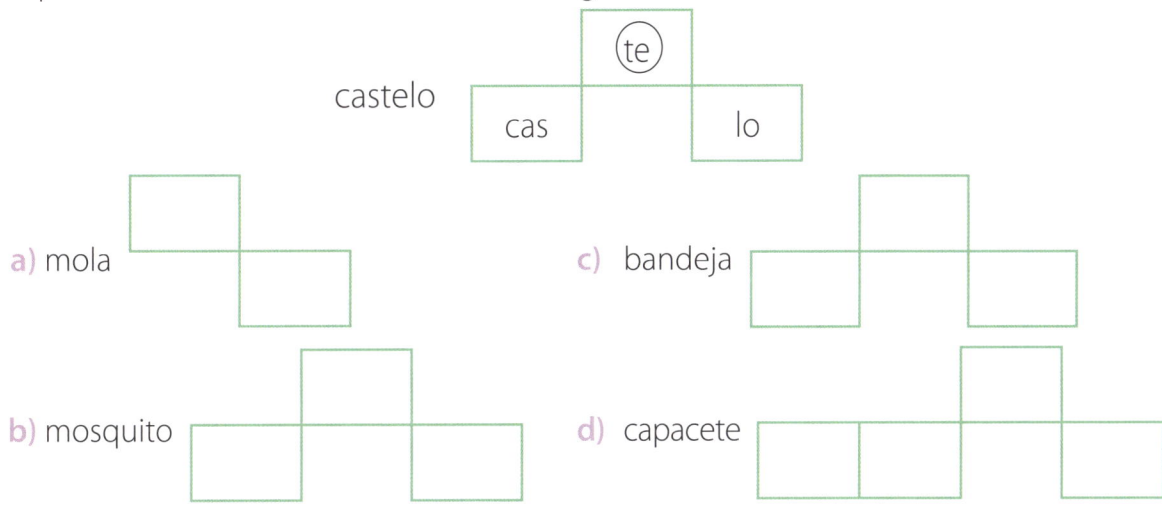

castelo — cas / (te) / lo

a) mola

b) mosquito

c) bandeja

d) capacete

4. Escreva o nome do que está sendo representado pelas imagens com as sílabas separadas, de modo que a **sílaba tônica** (a mais forte) corresponda ao quadradinho em destaque. Siga o modelo.

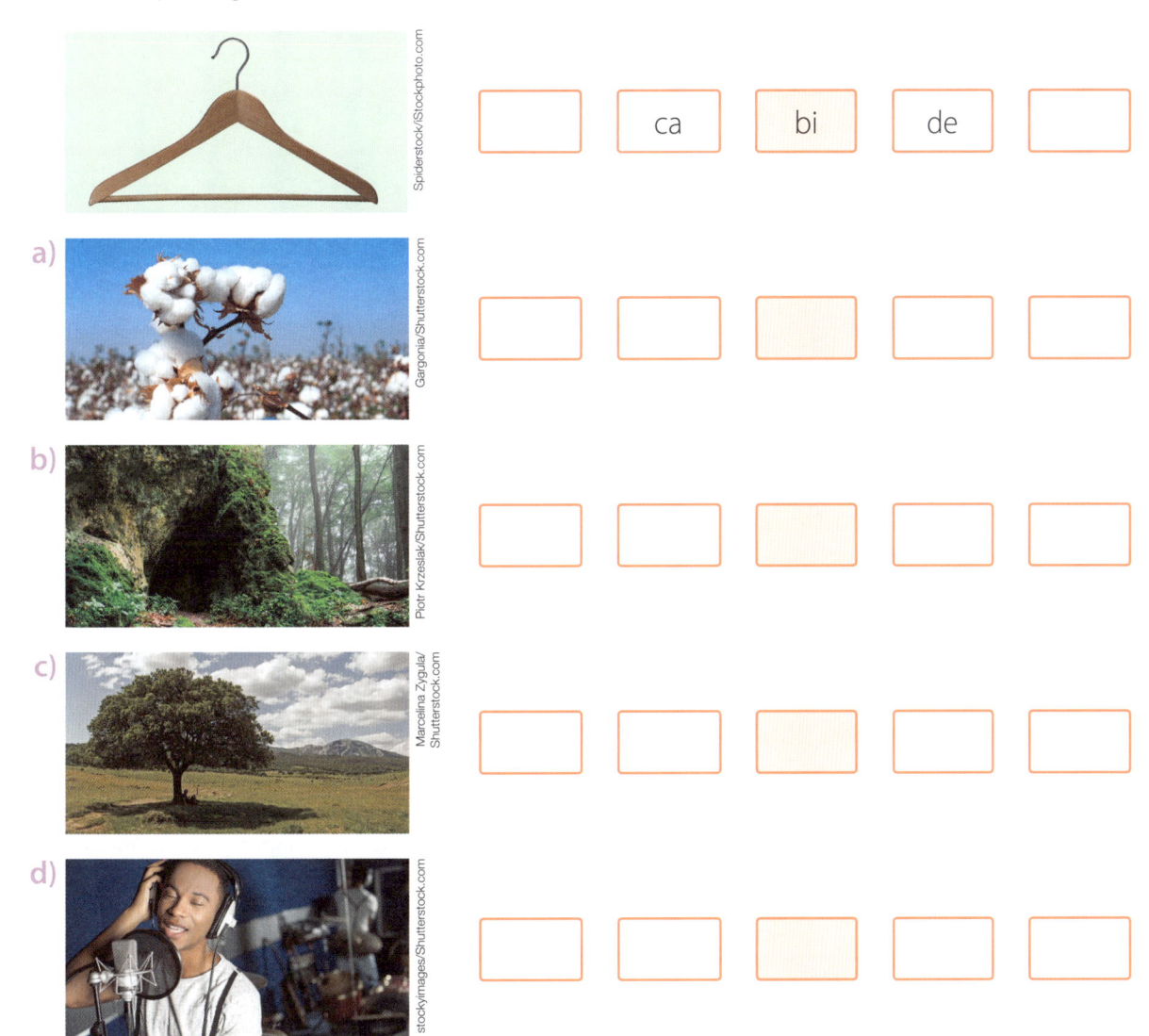

[ ] ca bi de [ ]

a) [ ] [ ] [ ] [ ] [ ]

b) [ ] [ ] [ ] [ ] [ ]

c) [ ] [ ] [ ] [ ] [ ]

d) [ ] [ ] [ ] [ ] [ ]

ORTOGRAFIA

Palavras com ha, he, hi, ho ou hu

> Em início de palavra, a letra **h** não representa som.

1. Complete com **ha**, **he**, **hi**, **ho** ou **hu** e, depois, escreva as palavras.

a) _____giene _____

b) _____bitante _____

c) _____mano _____

d) _____nesto _____

e) _____lice _____

f) _____je _____

2. Complete as partes da receita.

Hambúrguer de forno

_____

- 500 gramas de carne moída
- 200 gramas de *bacon* moído
- Sal e pimenta do reino a gosto
- Azeite para untar a fôrma

_____

- Em um recipiente, misture bem todos os ingredientes.
- Unte uma fôrma com um pouco de azeite.
- Separe pequenas porções e modele os hambúrgueres, colocando-os sobre a fôrma untada.
- Leve ao forno preaquecido, em temperatura média, e asse até que a superfície esteja dourada. Se achar necessário, vire os hambúrgueres e doure do outro lado.

Receita escrita especialmente para esta obra.

3. A receita serve para:

☐ contar uma história sobre os hambúrgueres.

☐ ensinar a fazer hambúrguer.

4. Ordene as sílabas, formando palavras.

a) gem | na | me | ho
_____

b) ran | he | ça
_____

c) gi | e | hi | ne
_____

d) mo | har | ni | a
_____

e) zon | ri | ho | te
_____

f) mor | hu
_____

5. Preencha o diagrama com o nome do que está representado nas figuras cuja letra inicial é **h**.

CAPÍTULO 10

GRAMÁTICA

Emprego do til

Leia a parlenda em voz alta.

> Rei, capitão,
> soldado, ladrão.
> Moça bonita
> do meu coração.
>
> Cantiga.

O sinal que está sobre o **a** das palavras **capitão**, **ladrão** e **coração** recebe o nome de **til (~)**.

Nós colocamos o til sobre as vogais **a** e **o** para indicar um som nasal, isto é, um som que sai parte pela boca, parte pelo nariz.

ATIVIDADES

1. Coloque o til quando necessário.
   a) O mamao caiu no chao.
   b) O piao é do Damiao.
   c) O ladrao pulou o portao.
   d) Mamae passou sabao na mao.
   e) Nao devemos soltar baloes.
   f) Minha irma gosta de suco de maça.
   g) Comprei três paes de queijo.
   h) Aquele cao mordeu minha mao.
   i) No xadrez, há dezesseis peoes.
   j) O limao estava em promoçao.
   k) Ela comprou cinco meloes na venda.
   l) Aquela ra é verde.

2. Copie as frases substituindo as imagens pelos nomes.

a) Maria partiu o ♥ de Tião.

_____

_____

b) Todos fugiram quando viram o 🦁.

_____

_____

c) Joaquim cortou os 🥭🥭 com o 🔪.

_____

_____

3. Circule apenas as palavras que devem ter til (~). Depois, escreva-as abaixo colocando o til sobre a letra correta.

dedo	aviao	melao	camelo
fogao	cadeira	violao	caminhoes

_____

4. Escreva frases com o nome de cada uma das imagens. **Dica:** todos os nomes têm **til**.

1. (feijões) 2. (falcão) 3. (lampião) 4. (pão)

1. _____

2. _____

3. _____

4. _____

ORTOGRAFIA

Palavras com r ou rr

> Na separação silábica, as letras **rr** ficam em sílabas separadas.

1. Use **r** ou **rr** para completar o trava-língua.

A a____anha a____anha o ja____o. O ja____o a____anha a a____anha. Nem a a____anha a____anha o ja____o. Nem o ja____o a____anha a a____anha.

Trava-língua.

2. Coloque as sílabas em ordem e forme palavras.

a) res | tor | mo _____

b) ri | bur | co _____

c) nho | re | ba _____

d) te | ra | que _____

e) car | ma | rão _____

f) roz | ar _____

3. Complete as palavras com **r** ou **rr** e escreva-as.

a) ____abanete _____

b) ____iqueza _____

c) ja____o _____

d) bo____acha _____

e) ____epelente _____

f) chu____asco _____

4. Separe as sílabas e copie as palavras.

a) torre _____ _____

b) garota _____ _____

c) carro _____ _____

d) ferro _____ _____

CAPÍTULO 11

GRAMÁTICA

Cedilha

Leia as palavras a seguir e observe os destaques.

garça

onça

Na letra **c** das palavras **garça** e **onça**, há um sinal que se chama **cedilha** (¸).

> **Cedilha** é um sinal gráfico que se coloca na letra **c** para que ela represente o som **s**.

Outros exemplos: abraço, caçula, cupuaçu, Açores.

ATENÇÃO

O cê-cedilha (**ç**) aparece somente antes de **a**, **o**, **u**: caçador, moço, açude. Nunca se usa **ç** em início de palavra.

> Antes das vogais **e** e **i**, usamos apenas a letra **c** sem o sinal gráfico cedilha (¸).

Exemplos: cenoura, bacia, circo, anoitecer.

ATIVIDADES

1. Use o **c** com sinal de cedilha (¸) para completar as palavras e, depois, reescreva-as.

a) la____o _____

b) pe____a _____

c) for____a _____

d) a____ucareiro _____

e) pa____oca _____

f) ca____amba _____

g) dan____a _____

h) cal____a _____

i) ber____o _____

j) almo____o _____

k) len____ol _____

l) carro____a _____

m) pesco____o _____

n) alca____uz _____

o) pra____a _____

p) on____a _____

2. Leia as palavras em voz alta e coloque o sinal de cedilha quando for necessário.

a) balanca

b) vacina

c) inchaco

d) abraco

e) graca

f) recibo

g) circo

h) fumaca

i) cacador

j) acúcar

k) cidade

l) cebola

m) cadarco

n) cancão

o) doenca

3. Escolha três ou mais palavras da atividade anterior e forme uma frase.

_____

_____

4. Leia a tirinha observando os detalhes dos desenhos.

Mauricio de Sousa. [Sem título.]

a) Localize e circule na tirinha a palavra que tem cedilha.

b) Que palavra tem a letra **c** representando o som de **s**, mas não leva o sinal cedilha?

_____

5. Leia algumas definições de um dicionário para o termo **diferença**.

> 1. Qualidade do que é diferente.
> 2. Falta de igualdade ou de semelhança [...]: *diferenças entre a criança e o adulto* [...].
> 3. Variedade, diversidade: *a diferença das cores do espectro solar.*
> 4. Distinção: *Não faz diferença entre ricos e pobres.*[...]
> **Fazer diferença**
> 1. Ser muito diferente (uma coisa de outra): *Faz diferença correr antes e depois de comer.*
> 2. Ser a causa de uma situação sensivelmente diferente (em relação a outra): *Ligar o ar-condicionado fez a maior diferença.*

Diferença. *Aulete digital*, [s. l.], [20--?]. Disponível em: www.aulete.com.br/diferen%C3%A7a. Acesso em: 5 fev. 2021.

No segundo quadrinho, a palavra **diferença** tem qual sentido? _____

E no terceiro quadrinho? _____

6. Que características no desenho do cachorro demonstram que ele ficou feliz?

☐ A expressão alegre dos olhos.

☐ A expressão amedrontada.

☐ O rabo abanando.

☐ As lambidas de agradecimento em Jeremias.

☐ O rosnado feroz.

ORTOGRAFIA

Palavras com ça, ce, ci, ço ou çu

ATENÇÃO

Não se usa a letra **c** com o sinal de **cedilha** antes das letras **e** e **i**.

1. Leia o cartaz ao lado e assinale a alternativa que apresenta o público para quem foi feita essa campanha.

☐ A campanha é destinada aos idosos.

☐ A campanha é destinada aos tutores de cães e gatos.

☐ A campanha é destinada ao público infantil e seus responsáveis.

☐ A campanha é destinada aos jovens e adolescentes.

Cartaz de campanha de vacinação contra a poliomielite e o sarampo divulgado pela prefeitura de Marabá, no Pará.

2. Que imagens do cartaz mostram para que público essa campanha é dirigida?

☐ A imagem do personagem Zé Gotinha.

☐ A bandeira da prefeitura de Marabá, no Pará.

☐ O símbolo do SUS e do Ministério da Saúde.

☐ A imagem de uma criança pequena acenando com a mão.

☐ A imagem de uma pipa.

3. Complete as palavras com **ce** ou **ci**.

a) _____pó   c) re_____bo   e) _____reja   g) coi_____

b) _____bola   d) _____gonha   f) _____randa   h) ba_____a

4. Separe as sílabas das palavras e, depois, reescreva-as.

a) trapaça _____   _____

b) caçada _____   _____

c) almoço _____   _____

d) criança _____   _____

e) cabeçudo _____   _____

5. Forme as palavras e, depois, copie-as.

a) pin _____   e) po _____

b) pregui _____   f) espa _____

    ça   **ço**

c) carro _____   g) bra _____

d) justi _____   h) palha _____

6. Complete com **ça**, **ço** ou **çu**.

ça	ço	çu
a) ta_____	e) caro_____	i) do_____ra
b) balan_____	f) endere_____	j) bei_____do
c) vidra_____	g) la_____	k) ca_____la
d) bagun_____	h) esfor_____	l) a_____careiro

CAPÍTULO 12

GRAMÁTICA

Acento circunflexo

Leia as palavras a seguir.

tênis

robô

Nas palavras **tênis** e **robô**, há um sinal sobre as vogais **e** e **o**. É o **acento circunflexo** (^).

> O **acento circunflexo** é usado para:
> - fechar o som das vogais;
> - indicar a sílaba tônica de certas palavras, como **ciência**, **pêssego** e **lâmpada**.

ATIVIDADES

1. Circule as palavras com acento circunflexo.
- a) mês
- b) mamãe
- c) pântano
- d) você
- e) maçã
- f) bufê
- g) pêssego
- h) japonês
- i) adição
- j) óculos
- k) vovô
- l) câmera

2. Coloque o acento circunflexo quando for necessário.

Dica: várias palavras devem rimar com a última palavra da parlenda.

Uni, duni, te

Uni, duni, te,
Salamê, mingue.
Um sorvete colore,
O escolhido foi voce!

Parlenda.

3. Observe as imagens. Assinale as situações em que as parlendas costumam ser declamadas.

☐ Na hora de dormir.

☐ Em jogos e brincadeiras.

☐ Na hora de escutar uma história.

4. Leia as palavras em voz alta. Depois, copie cada uma delas acentuando-as corretamente.

a) tremulo _____

b) bonus _____

c) angulo _____

d) quilometro _____

e) pessego _____

f) robo _____

g) ancora _____

h) camara _____

5. Forme frases com as palavras a seguir.

a) ônibus | você | amêndoa

_____

b) bebê | avô | lâmpada

_____

6. Preencha o diagrama com o nome do objeto ou ser representado em cada imagem.

1.
2.
3.
4.
5.
6.

72

ORTOGRAFIA

Palavras com qua, que ou qui

1. Complete com **qua**, **que** ou **qui** e, depois, escreva as palavras.

a) ata_____ _____

b) ar_____vo _____

c) _____dro _____

d) má_____na _____

e) caci_____ _____

f) mole_____ _____

g) _____abo _____

h) bos_____ _____

i) a_____rela _____

j) peri_____to _____

2. Escreva o nome de cada elemento ilustrado.

a)

b)

c)

d)

e)

f)

3. Complete com **e** ou **i**.

a) quat____   b) parqu____   c) tanqu____   d) jabut____   e) toqu____

4. Leia um trecho de reportagem e assinale a alternativa correta.

CAQUIS SÃO DELICIOSOS *IN NATURA* OU EM SOBREMESAS; APROVEITE A SAFRA

Caqui macio ou firme? É este o primeiro pensamento do consumidor na hora de escolher entre as variedades da fruta mais conhecidas e consumidas por aqui. Originário da China, o caqui chegou ao Brasil em 1890. Mas sua popularização só deu a largada a partir de 1920, com a chegada dos imigrantes japoneses que trouxeram outras variedades e também o domínio da produção.

[...]

Wagner Silva. Caquis são deliciosos *in natura* ou em sobremesas; aproveite a safra. *UOL*, São Paulo, 17 mar. 2015. Disponível em: www.uol.com.br/nossa/cozinha/noticias/redacao/2015/03/17/caquis-sao-deliciosos-in-natura-ou-em-sobremesas-saiba-mais-sobre-a-fruta.htm. Acesso em: 14 jan. 2021.

☐ A reportagem oferece receitas com o fruto caqui.

☐ A reportagem informa sobre o caqui e outros frutos brasileiros.

☐ A reportagem fala sobre o fruto caqui, comentando sua origem e popularização.

5. Circule a sílaba tônica das palavras.

caqui   moleque

ATENÇÃO

Quando as palavras terminam com **e** ou **i**, a pronúncia pode ser semelhante.

Relacione as informações:

caqui   Sílaba tônica é a penúltima ⟶ usa-se **e**.

moleque   Sílaba tônica é a última ⟶ usa-se **i**.

CAPÍTULO 13

GRAMÁTICA

Acento agudo

Leia as palavras a seguir prestando atenção aos destaques.

jacar**é**

gamb**á**

Nas palavras **jacaré** e **gambá**, há um sinal sobre as vogais **e** e **a**. É o acento agudo (´).

O **acento agudo** é usado para:
- abrir o som das vogais, como em **café**, **dó** e **constrói**;
- marcar a vogal mais forte em algumas palavras, como em **lápis**, **médico** e **óculos**.

ATIVIDADES

1. Leia as palavras em voz alta e coloque o acento agudo para que as vogais fiquem com o som aberto ou para marcar a vogal mais forte.

- **a)** pa
- **b)** fuba
- **c)** pe
- **d)** cafe
- **e)** mocoto
- **f)** maquina
- **g)** cha
- **h)** bau
- **i)** arvore
- **j)** estadio
- **k)** tabua
- **l)** vovo
- **m)** guarana
- **n)** halito
- **o)** treno
- **p)** abobora
- **q)** agua
- **r)** bone
- **s)** mascara
- **t)** chapeu
- **u)** pifaro
- **v)** hipopotamo
- **w)** fieis
- **x)** abobora

2. Ajude o filhote a encontrar a mamãe seguindo pelo caminho em que todas as palavras têm acento agudo. Lembre-se de acentuar essas palavras.

- amigo
- papel
- cha
- novela
- oleo
- abelha
- guarana
- agua
- pipoca
- chapeu
- matematica
- chocolate
- fazenda
- cafe
- ceu

3. Complete o poema usando as palavras do quadro que têm acento agudo. Fique atento às rimas.

| você | lá | lugar | floresta |
| aqui | Tatuí | Taubaté | escola |

Tatuzeira

Um tatu de _____

não está nem aí.

Um tatu de Tangará

nunca para _____.

Um tatu de _____

diz adeus e dá no pé.

Um tatu de Tietê

manda beijos pra _____.

[...]

Elias José. *Um jeito bom de brincar*. São Paulo: FTD, 2002. p. 22.

4. Complete os espaços escrevendo versos que rimem com o local de onde vem cada tatu.

a) Um tatu de Avaí _____

b) Um tatu do Paraná _____

c) Um tatu de Mossoró _____

d) Um tatu de Caculé _____

e) Um tatu de Tambaú _____

ORTOGRAFIA

Palavras com quo

1. Leia a adivinha e observe a ilustração. Descubra a profissão do rapaz trocando os números por letras. Siga a tabela de trocas.

> Quem sou eu?
> Meu amigo,
> Pela minha boca, fala.
> Não mexo a minha,
> Mas ele não se cala.

Trocas:

1	2	3	4	5	6	7	8	9	10	11	12	13
A	B	C	D	E	F	G	H	I	J	K	L	M
14	15	16	17	18	19	20	21	22	23	24	25	26
N	O	P	Q	R	S	T	U	V	W	X	Y	Z

A profissão do rapaz é:

22	5	14	20	18	9	12	15	17	21	15

2. Responda às adivinhas trocando os números por letras usando o quadro da atividade anterior e conheça outras palavras com a sílaba **quo**. Depois, copie as palavras.

a) É uma árvore gigante, que chega a atingir 150 metros de altura, comum em algumas florestas da América do Norte.

19	5	17	21	15	9	1

b) Resultado de uma divisão matemática.

17	21	15	3	9	5	14	20	5

CAPÍTULO 14

GRAMÁTICA

Substantivos próprios e comuns

Leia o poema.

Gato da China

Era uma vez
um gato chinês
que morava em Xangai
sem mãe e sem pai,
que sorria amarelo
para o Rio Amarelo,
[...]

José Paulo Paes.
Poemas para brincar.
São Paulo: Ática, 1997.
p. 12.

Veja:

Gato: mamífero da família dos felídeos.
Xangai: cidade da China.

> As palavras que dão nome a pessoas, coisas, animais ou lugares são **substantivos**.

Os **substantivos** podem ser **comuns** ou **próprios**.

Veja a diferença:

O gato morava em uma **cidade**.

O substantivo **cidade** não especifica qual é essa cidade; pode ser qualquer uma.

O gato morava em **Xangai**.

Agora não é uma cidade qualquer, e sim uma específica: a cidade de Xangai.

Xangai, China.

Substantivo comum é o que nomeia seres e coisas de uma mesma espécie.

Tambor, barco, sapo, peixe são **substantivos comuns** porque:
- todo tambor tem o nome de **tambor**;
- todo barco tem o nome de **barco**;
- todo sapo tem o nome de **sapo**;
- todo peixe tem o nome de **peixe**.

Substantivo próprio é o que nomeia as pessoas e os lugares.

Cada pessoa, cada lugar, cada cidade, cada país tem o seu nome.

Veja a diferença entre os substantivos próprios e os comuns nas frases a seguir:
- **Marina** é uma das **alunas** da sala.
- O **Brasil** é um **país** com muitas praias.
- **Lola** é o nome da minha **cachorra**.

Os **substantivos próprios** são escritos com **letra inicial maiúscula**.
Os **substantivos comuns** são escritos com **letra inicial minúscula**.

ATIVIDADES

1. Escreva o que se pede.

   a) O nome de um vizinho ou uma vizinha: _____

   b) O nome de uma pessoa de sua família: _____

   c) O nome de seu professor ou sua professora: _____

   d) O nome de um colega ou de uma colega: _____

   e) O nome de sua escola: _____
   _____

2. Imagine que você precisa se apresentar a uma nova turma. Escreva um texto curto falando um pouco sobre você, suas brincadeiras favoritas, o lugar em que mora e o que mais achar importante. Não se esqueça de usar os substantivos próprios e comuns!

   _____
   _____
   _____
   _____

3. Numere de acordo com a legenda.

   | 1 | Substantivo comum. | | 2 | Substantivo próprio. |

   ☐ cadeira　　☐ vaso　　☐ gatinho

   ☐ uva　　　 ☐ Totó　　☐ pitanga

   ☐ Lua　　　 ☐ luva　　☐ Camila

   ☐ Paraíba　 ☐ Portugal　☐ Palavra Cantada

ORTOGRAFIA

Palavras com al, el, il, ol ou ul

1. Preencha corretamente os espaços com **al**, **el**, **il**, **ol** ou **ul** e, depois, copie as palavras.

   a) hum _____ de _____

   b) _____ce _____

   c) coron_____ _____

   d) c_____to _____

   e) p_____co _____

   f) _____fabeto _____

   g) ad_____to _____

   h) m_____de _____

   i) hot_____ _____

   j) f_____me _____

2. Escreva o nome dos objetos e seres ilustrados. **Dica:** todos eles contêm **al**, **el**, **il** ou **ol** nos nomes!

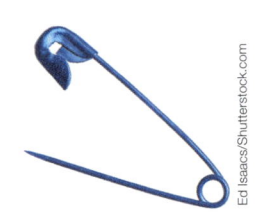

3. Ordene as sílabas e escreva as palavras.

a) ça al _____

b) ta sul con _____

c) ra pal mei _____

d) lei bol vo _____

e) ra al tu _____

f) da do sol _____

4. Rescreva as frases substituindo as imagens pelos nomes correspondentes.

a) O ☀ está forte hoje.

_____

b) Pedi um 🧀 de queijo.

_____

c) Ritinha não encontrou o 🖌 .

_____

d) Antônio comprou uma 🟥 nova.

_____

e) Olga encontrou uma 🦟 no cachorro.

_____

5. Complete as palavras do comunicado escolar com **al**, **el**, **il**, **ol** ou **ul**.

> **Comunicado aos pais e alunos**
>
> As olimpíadas internas ocorrerão no mês de abr_____.
>
> Vejam a tabela com os horários das partidas eliminatórias:
>
> Futeb_____: dias 3, 4 e 5.
>
> Voleib_____: dias 7, 8 e 9.
>
> Handeb_____: dias 10, 11 e 12.
>
> Contamos com a presença de todos!
>
> A direção

6. Complete:

a) O comunicado foi enviado para _____.

b) O comunicado foi enviado pela _____.

7. Descubra, no quadro de letras, quatro palavras com **al**, **el**, **il**, **ol** ou **ul** e copie-as nas linhas indicadas.

A	N	E	L	B	E	L	O	F	O	J	E
Q	J	C	E	S	F	U	N	I	U	A	L
O	P	U	L	G	A	V	A	F	F	O	P
R	E	T	L	F	E	V	B	E	E	P	V
A	T	E	C	V	C	H	E	B	U	I	A
K	S	O	M	L	O	O	U	O	U	T	E
D	T	A	V	U	L	T	H	I	D	E	C
E	R	T	A	L	C	O	N	L	I	M	V
I	O	X	H	L	H	R	S	O	G	O	Y
A	M	E	A	Z	A	C	D	L	J	L	T

a) _____ b) _____ c) _____ d) _____

CAPÍTULO 15

GRAMÁTICA

Gênero do substantivo

Masculino e feminino

As palavras podem ser **masculinas** ou **femininas**.

> Antes dos **substantivos masculinos**, usamos **o**, **os**, **um**, **uns**.

O caderno
Um caderno

O menino
Um menino

Caderno e **menino** são **substantivos masculinos**.

> Antes dos **substantivos femininos**, usamos **a**, **as**, **uma**, **umas**.

A peteca
Uma peteca

A caneca
Uma caneca

Peteca e **caneca** são **substantivos femininos**.

Conheça alguns substantivos **masculinos** e **femininos**.

ator	→	atriz		genro	→	nora
autor	→	autora		herói	→	heroína
bode	→	cabra		imperador	→	imperatriz
boi	→	vaca		juiz	→	juíza
cachorro	→	cadela		leão	→	leoa
carneiro	→	ovelha		padrasto	→	madrasta
cavalo	→	égua		padrinho	→	madrinha
compadre	→	comadre		pai	→	mãe
galo	→	galinha		pato	→	pata
gato	→	gata		zangão	→	abelha

ATIVIDADES

1. Escreva o feminino das palavras abaixo.

a) um gato _____

b) um menino _____

c) um galo _____

d) um professor _____

e) um boi _____

f) um diretor _____

g) um carneiro _____

h) um doutor _____

i) um bode _____

j) um tio _____

2. Complete com o masculino.

a) A avó e o _____.

b) A prima e o _____.

c) A irmã e o _____.

d) A nora e o _____.

e) A filha e o _____.

f) A rainha e o _____.

g) A escritora e o _____.

h) A amiga e o _____.

i) A vizinha e o _____.

j) A mulher e o _____.

3. Leia esta lenda amazônica. Complete os espaços com **a**, **as** ou **o**, **os**, conforme os substantivos estejam no feminino ou no masculino.

A lenda da vitória-régia

Há muitos e muitos anos, em certas noites, _____ Lua, chamada Jaci pelos índios tupis-guaranis, aparecia com todo o seu esplendor para iluminar uma aldeia na Amazônia brasileira.

Sabia-se que Jaci, quando se escondia atrás das montanhas, sempre levava consigo _____ jovens de sua preferência e as transformava em estrelas no céu.

Acontece que uma moça da tribo, a guerreira Naiá, vivia sonhando com esse encontro [...]. No entanto, _____ anciães da tribo alertavam:

– Naiá, _____ moças são transformadas em estrelas depois que são tocadas pela formosa deusa. Não tem volta, Naiá! [...]

Uma noite, tendo parado para descansar após longa caminhada, Naiá sentou-se à beira de um lago. Viu, então, na superfície, _____ imagem da deusa: _____ Lua estava bem ali, ao seu alcance, refletida no espelho-d'água. Naiá, pensando que _____ Lua descera para se banhar, mergulhou fundo ao seu encontro e se afogou.

Jaci, comovida com tão intenso desejo, quis recompensar _____ sacrifício da bela jovem índia e resolveu metamorfoseá-la em uma estrela diferente de todas aquelas que brilhavam no céu.

Assim, Naiá foi transformada na "Estrela das Águas", única e majestosa, que é _____ vitória-régia ou mumuru, como é chamada pelos índios tupis-guaranis.

Rosana Mont'Alvernee. *A lenda da vitória-régia*. Brasília, DF: Ministério da Educação, 2020. p. 3-6, 8 e 10-14. (Coleção Conta pra Mim). Disponível em: http://alfabetizacao.mec.gov.br/images/conta-pra-mim/livros/versao_digital/vitoria_regia_versao_digital.pdf. Acesso em: 18 jan. 2021.

4. Sublinhe as expressões que, na lenda, marcam a passagem do tempo.

5. Escreva **M** para os substantivos masculinos e **F** para os substantivos femininos.

☐ operário ☐ elefanta ☐ dama ☐ burro ☐ capitã ☐ peão

6. Complete o trava-língua com os substantivos masculino e feminino abaixo.
Dica: fique atento à letra em destaque.

ornitorrinco   ovelha

A _____ Olívia ouviu um uivo fino no ouvido, olhou em volta e viu o _____ dormindo.

Rosinha. *Abc do trava-língua*. São Paulo: Editora do Brasil, 2012. p. 13.

7. Qual é o masculino de ovelha? _____

8. Preencha o diagrama com os substantivos femininos das palavras do quadro.

1. padrinho
2. cavalheiro
3. bode
4. senhor
5. pintor
6. genro

ORTOGRAFIA

Palavras com r brando

> Quando o **r** aparece entre duas vogais, ele é brando.
> Exemplos: arame, arara, feira, parafuso, amarelo.

1. Observe as palavras do baú. Use, para completar as frases, apenas aquelas com **r** brando.

carrinho, roupa, torradeira, carinho, rã, cadeira, aranha, pulseira

a) Um beijinho, dois beijinhos...

Como eu gosto de _____.

b) A _____ de madeira quebrou e sujou a cozinha inteira.

c) Coloquei minha nova _____ e feliz fui à feira.

d) Que medo tenho da _____! Grito mesmo, não faço manha.

2. Complete a quadrinha escrevendo nas lacunas o substantivo próprio que inicia com **r** brando. Consulte o quadro.

Rita   Rosana   Marina   Rosa

A canoa virou

A canoa virou,
Quem deixou ela virar?

Foi por causa da _____,
Que não soube remar.
Se eu fosse um peixinho
E soubesse nadar

Eu tirava a _____
Lá do fundo do mar.

Cantiga.

3. Complete as palavras com as vogais que faltam e separe as sílabas.

a) b____rr____c____ _____

b) b____r____t____ _____

c) f____ir____ _____

d) f____rr____ _____

e) r____d____ _____

f) c____rr____ _____

g) c____r____ _____

h) g____r____t____ _____

4. Separe as palavras da atividade 3 escrevendo-as nas colunas adequadas.

r brando	r forte

5. Complete com **r** ou **rr** e ligue as palavras às imagens.

ca____eta

ca____eta

co____ação

ca____oça

CAPÍTULO 16

GRAMÁTICA

Número do substantivo

Singular e plural

Leia a cantiga.

Os indiozinhos

Um, dois, três indiozinhos,
Quatro, cinco, seis indiozinhos,
Sete, oito, nove indiozinhos,
Dez num pequeno bote.

Vinham navegando pelo rio abaixo
Quando um jacaré se aproximou.
E o pequeno bote dos indiozinhos
Quase, quase virou...

Mas não virou!

Cantiga.

Observe:

Um indiozinho.    Dois indiozinhos.

indiozinho
indiozinhos } substantivos

Os substantivos podem estar no **singular** ou no **plural**.

> Estão no **singular** os substantivos que indicam **uma só coisa**, **um só elemento**.

Exemplos:

O indiozinho, o jacaré, a canoa.

> Estão no **plural** os substantivos que indicam **duas ou mais coisas**.

Exemplos:

Os indiozinhos, os jacarés, as canoas.

Geralmente, para formar o plural, acrescenta-se um **s** no fim das palavras.

Exemplos:

cerej**a**   cerej**as**

esquil**o**   esquil**os**

Outras palavras formam o plural de **modo diferente**, com **modificações no final**.

Exemplos:

animal – anima**is**   colher – colher**es**   jardim – jardin**s**
balão – bal**ões**   farol – far**óis**   mês – mes**es**
barril – barr**is**   flor – flor**es**   nariz – nariz**es**
cão – cã**es**   freguês – fregu**eses**   pão – p**ães**
carretel – carret**éis**   homem – homen**s**

ATIVIDADES

1. Dê o plural das palavras a seguir, conforme o modelo.   o menino – os meninos

a) o caderno _____

b) o vaso _____

c) o estojo _____

d) o carro _____

2. Joana está doando alguns objetos e fez uma lista deles para mostrar às amigas. Reescreva a lista de Joana passando os itens para o plural.

- livro infantil →
- anel →
- papel de carta →
- relógio digital →

3. Complete os títulos das notícias com o plural dos substantivos entre parênteses. Depois, relacione as colunas.

Títulos	Assunto da notícia
a) _____ de João Pessoa têm horário de funcionamento especial no Natal (trem) William Moreira. Diário do Transporte, [s. l.], 23 dez. 2020. Disponível em: https://diariodotransporte.com.br/2020/12/23/trens-de-joao-pessoa-tem-horario-de-funcionamento-especial-no-natal/. Acesso em: 18 jan. 2021.	☐ Ciência
b) **As impressionantes _____ de gafanhoto que ameaçam devastar plantações na África do Sul** (nuvem) BBC News, [s. l.], 10 dez. 2020. Disponível em: https://www.bbc.com/portuguese/internacional-55268471. Acesso em: 18 jan. 2021.	☐ Turismo
c) **Gramado e Miami são favoritos dos brasileiros para _____ de lazer** (viagem) Mariana Muniz. Veja, São Paulo, 27 jan. 2020. Disponível em: https://veja.abril.com.br/blog/radar/gramado-e-miami-sao-favoritos-dos-brasileiros-para-viagens-de-lazer. Acesso em: 18 jan. 2021.	☐ Transportes

4. As palavras terminadas em **r**, **z** e **ês** têm seu plural formado pelo acréscimo de **es**. Escreva corretamente o plural das palavras a seguir, conforme o modelo.

o ator – os atores

a) a dor _____

b) o mar _____

c) a cruz _____

d) o chinês _____

e) a noz _____

f) o cantor _____

g) o grampeador _____

h) o inglês _____

5. Atenção para as palavras terminadas em **ão**. Algumas delas têm seu plural formado pela mudança de **ão** para **ões**. Veja o exemplo e escreva o plural das demais palavras.

o camaleão – os camaleões

a) a mão _____

b) o algodão _____

c) a adição _____

d) o feijão _____

e) o avião _____

f) o cidadão _____

g) o melão _____

h) o irmão _____

6. Augusto foi à padaria comprar pão de queijo e suco natural para ele e seu pai. Complete o balão de fala escrevendo no plural as palavras que faltam.

Por favor, dois _____ de queijo e dois sucos _____.

ORTOGRAFIA

Palavras com s ou ss

1. Escreva as vogais que faltam para completar as palavras.

a) s____po

b) b____ss____l____

c) p____ss____rela

2. Ligue as colunas.

Letra **s** representando som de **z**.

Letra **s** representando som de **s** no meio da palavra.

Letra **s** representando som de **s** no começo da palavra.

ca_____a

ma_____a

_____apato

va_____o

pá_____aro

_____alada

3. Complete a cartela com as palavras do quadro de acordo com a sequência alfabética.

| casa | paisagem | vassoura | carrossel | pêssego |
| sarau | suco | massagem | vaso | assado |

asa		
passatempo		

4. Separe as palavras em sílabas e, depois, escreva-as.

> Na separação das sílabas, as letras **ss** ficam separadas. Exemplo: ma**ss**a – ma**s**-**s**a

a) pressa _____ _____

b) missão _____ _____

c) sessenta _____ _____

d) professor _____ _____

e) passado _____ _____

f) assobio _____ _____

g) passageiro _____ _____

5. Para que Aninha consiga pegar a bola, ela precisa seguir pelo caminho em que todas as palavras sejam escritas com **ss**. Complete as palavras com **s** ou **ss** e descubra o caminho correto.

o____o
____uco
____ala
____abonete
ma____a
____acola
____apo
man____o
to____e
alada
va____oura
pa____eio
carro____el
____apato
gan____o
____alsicha
a____ado

96

CAPÍTULO 17

GRAMÁTICA

Grau do substantivo

Aumentativo e diminutivo

Observe as imagens e leia as palavras.

cachorro

cachorrinho

cachorrão

A palavra **cachorro** indica um cachorro de tamanho **normal**: **nem grande nem pequeno**.

Quando queremos indicar um **cachorro pequeno**, nós dizemos **cachorrinho**.

Cachorrinho é o **diminutivo** de cachorro.

Quando queremos indicar um **cachorro grande**, nós dizemos **cachorrão**.

Cachorrão é o **aumentativo** de cachorro.

O diminutivo é formado de diversas maneiras, principalmente pelo acréscimo de **inho** (ou **zinho**) e **inha** (ou **zinha**).

Veja o **diminutivo** de algumas palavras:

amigo	→	**amiguinho**	gato	→	**gatinho**
animal	→	**animalzinho**	homem	→	**homenzinho**
bala	→	**balinha**	livro	→	**livrinho**
boca	→	**boquinha**	mato	→	**matinho**
bola	→	**bolinha**	menino	→	**menininho**
bolsa	→	**bolsinha**	mesa	→	**mesinha**
cadeira	→	**cadeirinha**	nariz	→	**narizinho**
café	→	**cafezinho**	pão	→	**pãozinho**
caixa	→	**caixinha**	pato	→	**patinho**
cão	→	**cãozinho**	pé	→	**pezinho**
casa	→	**casinha**	peixe	→	**peixinho**
chapéu	→	**chapeuzinho**	rato	→	**ratinho**
garota	→	**garotinha**	sala	→	**salinha**
garrafa	→	**garrafinha**	toco	→	**toquinho**

O aumentativo, assim como o diminutivo, é formado de várias maneiras, principalmente pelo acréscimo de **ão**/**ona** (ou **zão**/**zona**) e **rão**.

Veja o **aumentativo** de algumas palavras:

amigo	→	**amigão**	homem	→	**homenzarrão**
animal	→	**animalão**	janela	→	**janelão**
arco	→	**arcão**	livro	→	**livrão**
barulho	→	**barulhão**	menina	→	**meninona**
borboleta	→	**borboletona**	menino	→	**meninão**
cadeira	→	**cadeirona**	mesa	→	**mesão**
cão	→	**canzarrão**	nariz	→	**narigão**
carro	→	**carrão**	panela	→	**panelão**
casa	→	**casarão**	pé	→	**pezão**
chapéu	→	**chapelão**	peixe	→	**peixão**
faca	→	**facão**	porta	→	**portão**
fogo	→	**fogaréu**	rapaz	→	**rapagão**
garoto	→	**garotão**	voz	→	**vozeirão**
garrafa	→	**garrafão**	xícara	→	**xicarazona**

ATIVIDADES

1. Dê o diminutivo dos objetos e seres representados pelas imagens a seguir.

a) _____

b) _____

c) _____

d) _____

e) _____

f) _____

g) _____

h) _____

i) _____

2. Complete as frases com o aumentativo.

a) Um olho grande é um _____.

b) Um rapaz grande é um _____.

c) Um dente grande é um _____.

d) Uma casa grande é um _____.

e) Uma janela grande é um _____.

f) Um menino grande é um _____.

g) Uma vassoura grande é um _____.

3. Encontre no diagrama o aumentativo das palavras ilustradas.

garrafa

casa

rapaz

cão

peixe

D	S	G	J	Ã	R	É	M	O	P
Y	C	A	S	A	R	Ã	O	M	E
G	V	B	O	B	I	F	O	L	I
G	A	R	R	A	F	Ã	O	K	X
O	P	L	Õ	D	F	A	P	Ã	Ã
D	Ç	A	Q	U	D	R	O	O	O
R	A	P	A	G	Ã	O	Õ	I	S
G	C	A	N	Z	A	R	R	Ã	O

• Agora, copie as palavras que você encontrou.

_____

_____

4. Escreva o diminutivo ou o aumentativo conforme as imagens.

a) panela ⟶ _____

b) sorvete ⟶ _____

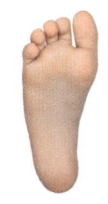

c) pé ⟶ _____

d) chapéu ⟶ _____

5. Complete o diminutivo com **-inho** ou **-zinho**.

a) papel_____

b) garot_____

c) animal_____

d) menin_____

ORTOGRAFIA
Palavras com s entre vogais

> A letra **s**, entre vogais, é lida como **z**.

Leia o bilhete:

Marisa,
Leve o casaco.
Ele está em cima da mesa.
Mamãe

1. Complete:

   a) Quem recebeu o bilhete foi _____.

   b) Quem enviou o bilhete foi _____.

2. Circule, no bilhete, as palavras que têm a letra **s** representando o som de **z**.

3. Preencha o diagrama.
   Dica: as palavras devem terminar com **-oso**.

1. O que tem um bom sabor é...
2. Quem tem curiosidade é...
3. Quem tem medo é...
4. Quem tem bondade é...
5. Quem tem cuidado é...

CAPÍTULO 18

GRAMÁTICA

Substantivos coletivos

Leia esta curiosidade sobre a bandeira do Brasil.

> ### VOCÊ SABIA?
>
> A bandeira do Brasil, um dos símbolos nacionais, apresenta em sua composição estrelas na parte azul. As estrelas representam os 26 estados brasileiros e o Distrito Federal.
>
> Além disso, de acordo com a disposição das estrelas na bandeira, é possível identificar cinco **constelações** [...]: Cruzeiro do Sul, Escorpião, Triângulo Austral, Cão Maior e Cão Menor.
>
> [...]

Dayane Borges. Constelações, o que são? Origem, principais constelações e características. *Conhecimento científico*, [s. l.], 1 nov. 2020. Disponível em: https://conhecimentocientifico.r7.com/constelacoes/. Acesso em: 27 jan. 2021.

A palavra **constelação**, destacada no texto da curiosidade, foi usada para se referir ao conjunto de estrelas próximas umas das outras.

Essa palavra é um **substantivo coletivo**.

> **Substantivo coletivo** é a palavra que indica um conjunto de pessoas, animais ou objetos da mesma espécie.

103

Aprenda outras palavras que são substantivos coletivos:

alfabeto	→ de letras	**enxame**	→ de abelhas
banda	→ de músicos	**esquadra**	→ de navios
bando	→ de pessoas ou animais	**esquadrilha**	→ de aviões
batalhão	→ de soldados	**molho**	→ de chaves
biblioteca	→ de livros	**ninhada**	→ de pintos
boiada	→ de bois	**penca**	→ de bananas
cacho	→ de uvas, de bananas	**quadrilha**	→ de ladrões
cardume	→ de peixes	**ramalhete**	→ de flores
classe	→ de alunos	**rebanho**	→ de carneiros, ovelhas, bois
discoteca	→ de discos	**resma**	→ de papéis
elenco	→ de atores	**time**	→ de jogadores

ATIVIDADES

1. Complete as frases com o que se pede.

a) O coletivo de papéis é _____.

b) O coletivo de bananas é _____.

c) O coletivo de aviões é _____.

d) O coletivo de flores é _____.

e) O coletivo de bois é _____.

f) O coletivo de alunos é _____.

g) O coletivo de letras é _____.

h) O coletivo de jogadores é _____.

i) O coletivo de peixes é _____.

2. Complete as frases com os coletivos adequados.

a) Já contei a história de quando escapei de um _____ de abelhas?

b) Clarissa ia ver a _____ de pintinhos todos os dias.

c) O _____ de pássaros se assustou com o barulho.

3. Ligue cada ser ou objeto ao respectivo coletivo.

a) discos   banda
b) músicos   ramalhete
c) flores   discoteca

ORTOGRAFIA

Letras p e b

Leia as palavras em voz alta e compare as letras destacadas.

Panda

Banda

1. Agora, use **p** e **b** para completar cada par de palavras.

a) _____anana – _____anela

b) _____eteca – _____e_____ida

c) _____i_____oca – _____igode

d) _____oca – _____onta

e) _____ulo – _____ule

f) _____apel – _____alão

g) _____ento – _____ente

h) _____ilhão – _____ilhão

i) _____ororoca – _____ororós

j) _____ufê – _____urê

2. Complete o diagrama com os coletivos correspondentes às imagens.

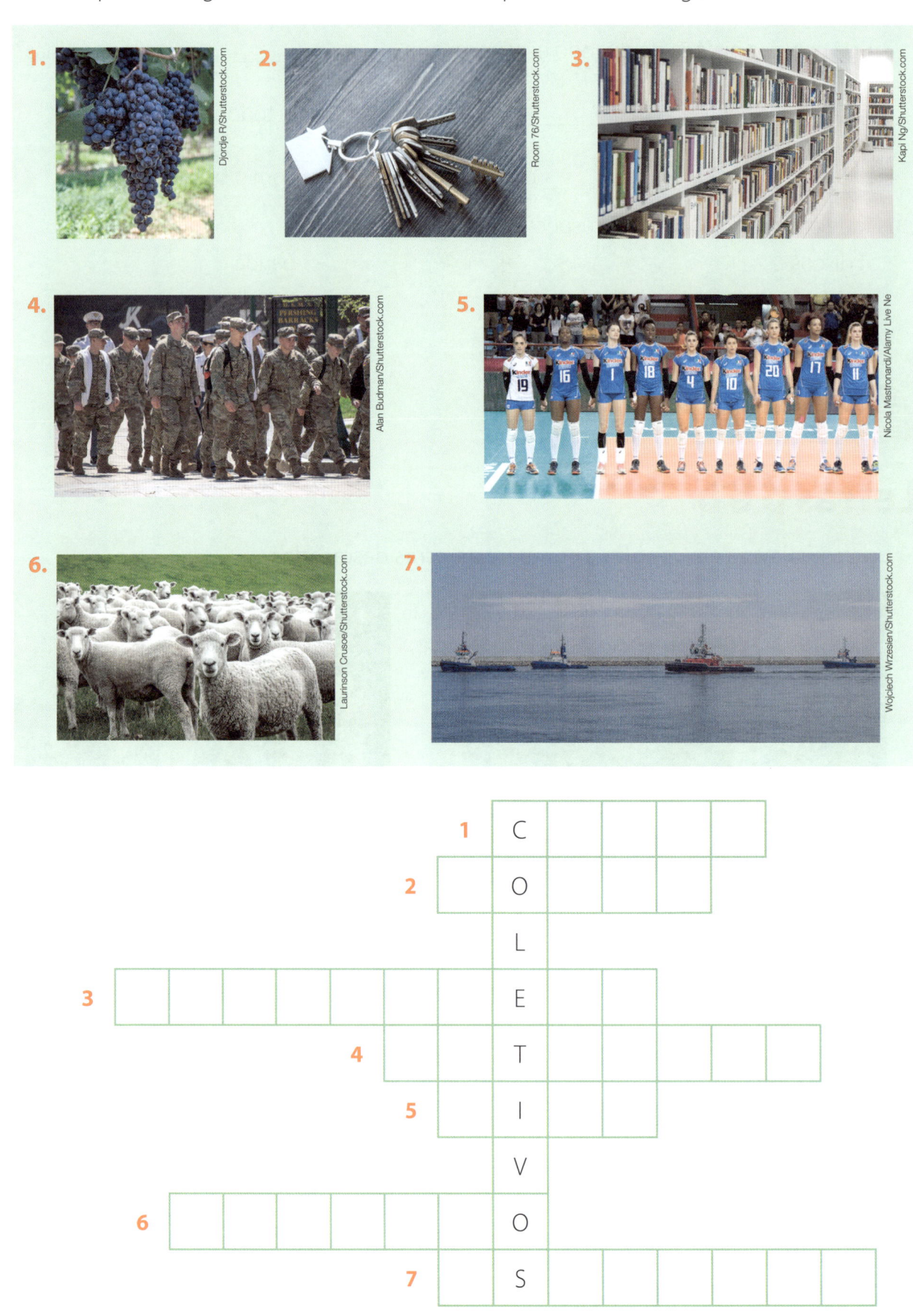

					1	C				
				2		O				
						L				
3						E				
				4		T				
					5	I				
						V				
6						O				
					7	S				

106

ORTOGRAFIA

Palavras com ch, lh ou nh

1. Complete as palavras do livro de receitas com **ch**, **lh** ou **nh**.

Receitas

- Abobri_____a re_____eada

- Ta_____arim com mo_____o à bolo_____esa

- _____aruto de fo_____a de uva

2. Descubra qual é o animal seguindo as pistas dadas.

a) Sou bem pequena e vivo no jardim. Tenho um casco vermelho com pintas pretas.

Sou a _____.

b) Sou da família dos camelos, mas vivo na América do Sul, perto de montanhas que têm o nome de Cordilheira dos Andes. Sou a _____.

c) Sou bem fofinho e tenho os olhos vermelhos. Gosto muito de comer cenoura.

Sou o _____.

d) Vivo embaixo da terra e fujo dos pintinhos, senão viro almoço de todos eles.

Sou a _____.

CAPÍTULO 19

GRAMÁTICA

Artigo definido e indefinido

As palavras **o**, **a**, **os**, **as**, **um**, **uma**, **uns**, **umas** são **artigos**.
Elas acompanham os substantivos.

> **Artigo** é a palavra que se usa antes do substantivo para indicar se é masculino ou feminino, singular ou plural.

Os artigos podem ser **definidos** ou **indefinidos**.

> Definidos: **o**, **a**, **os**, **as**.
> Indefinidos: **um**, **uma**, **uns**, **umas**.

Observe as imagens e as palavras a seguir:

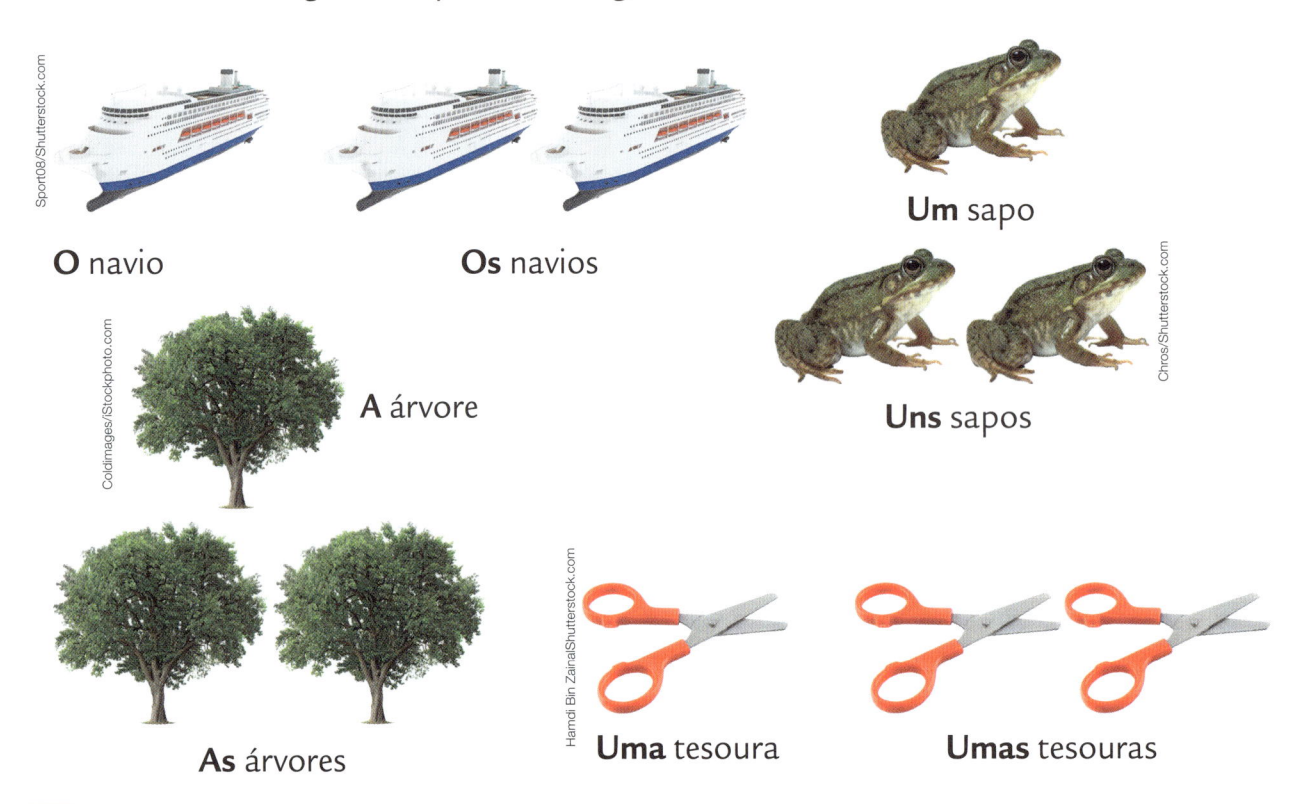

O navio

Os navios

Um sapo

Uns sapos

A árvore

As árvores

Uma tesoura

Umas tesouras

ATIVIDADES

1. Escreva o nome dos elementos ilustrados acompanhado do artigo definido.

a) _____

b) _____

c) _____

d) _____

2. Copie a parlenda substituindo os sinais de (*) por artigos definidos ou indefinidos.

* macaco foi à feira,
não sabia o que comprar.
Comprou * cadeira
pra comadre se sentar.
* comadre se sentou,
* cadeira se esborrachou.

Parlenda.

3. Marque com um **X** os pares de palavras que rimam na parlenda.

☐ comprar – sentar   ☐ sentou – esborrachou   ☐ cadeira – sentar

ORTOGRAFIA

Palavras com bl, cl, fl, gl, pl ou tl

1. Descubra o nome de cada criança seguindo as dicas dadas e escreva-o na linha.
- Cláudia tem cabelos negros, enrolados e usa óculos.
- Plínio usa aparelho nos dentes e está ao lado de Cláudia.
- Cléber é loiro.
- Flávio ama jogar futebol e nunca se separa de sua bola.
- Bianca está cochichando alguma coisa no ouvido de Cléber.

_____   _____   _____   _____

2. Responda às questões e fique atento à quantidade de sílabas de cada palavra. As respostas são escritas com **bl**, **cl**, **fl**, **gl**, **pl** ou **tl**.

a) Oceano que banha o Brasil (quatro sílabas): _____.

b) Aquele que pratica atletismo (três sílabas): _____.

c) O que não é escuro é (duas sílabas): _____.

d) Objeto que representa o planeta Terra (duas sílabas): _____ terrestre.

e) O coletivo de livros (cinco sílabas): _____.

f) Local onde se vendem flores (cinco sílabas): _____.

g) Podem ser usadas com os arcos para caçar (duas sílabas): _____.

h) É o contrário de singular (duas sílabas): _____.

3. Desembaralhe as sílabas e descubra as palavras.

a) | cle | ci | bi | ta | _____

b) | clis | ci | ta | _____

4. Sublinhe o *slogan* do cartaz de uma campanha para incentivar o uso da bicicleta.

> **ATENÇÃO**
> **Slogan** é uma frase curta e fácil de lembrar usada em propagandas e campanhas.

Vai como?

Vá de bicicleta e movimente o mundo para melhor!

Univasf Sustentável
Com suas atitudes, você faz a diferença.

UNIVASF
UNIVERSIDADE FEDERAL DO VALE DO SÃO FRANCISCO

ddi
Diretoria de Desenv. Institucional

Universidade Federal do Vale do São Francisco

Univasf sustentável – Vá de bicicleta. *Univasf*, Petrolina, 21 fev. 2017. Disponível em: https://portais.univasf.edu.br/propladi/imagens-1/sustentabilidade-1/univasf-sustentavel-va-de-bicicleta/view. Acesso em: 13 nov. 2020.

5. Assinale a frase correta.

☐ A imagem do jovem na bicicleta ajuda a compreender o *slogan*.

☐ A imagem não se relaciona com o *slogan*.

☐ Se não fosse colorido, o cartaz teria o mesmo efeito para o leitor.

CAPÍTULO 20

GRAMÁTICA

Adjetivo

Leia o texto.

> [...]
> O dia está **lindo**! São sete horas da manhã. Quando o apresentador pega o microfone, as gaivotas imediatamente abandonam a pesca, acomodando-se nas rochas e nas areias da praia.
> É uma **bela** imagem! São milhares de gaivotas! [...]

Maria Cristina Furtado. *A grande campeã*. São Paulo: Editora do Brasil, 2015. p. 8.

No texto, as duas palavras destacadas dão qualidade ao substantivo **dia** e **imagem**, respectivamente.

As palavras que indicam as qualidades dos substantivos chamam-se **adjetivos**.

Por exemplo, **calmo** e **esperta** são adjetivos.

> **Adjetivo** é a palavra que dá qualidade ao substantivo.

O adjetivo pode vir antes ou depois do substantivo.

Veja mais alguns exemplos de adjetivos:

carinhoso/carinhosa	honesto/honesta
espaçoso/espaçosa	saboroso/saborosa

ATIVIDADES

1. Circule o adjetivo das frases.

a) Toninho é um garoto atencioso.

b) Papai fez uma sopa deliciosa.

c) É lindo o vestido que eu ganhei.

d) Joana é uma menina corajosa.

e) Adriano ganhou uma camisa amarela.

f) A torre é muito alta.

2. Forme frases usando o nome dos elementos ilustrados e dando um adjetivo para cada um deles.

a)

b)

c)

d)

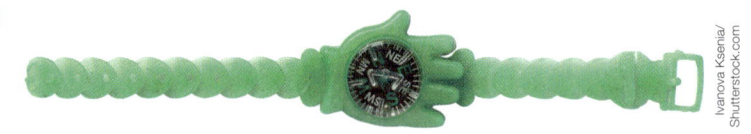

Leia a curiosidade sobre o tatu.

Você sabia que os tatus dormem mais ou menos 19 horas por dia?

3. Ligue a palavra **tatu** ao adjetivo que combina com a informação sobre esse animal.

tatu

corajoso

dorminhoco

4. Circule a sílaba tônica das palavras.

a) tatu

b) dorminhoco

Quando as palavras terminam com **o** ou **u**, a pronúncia pode ser semelhante.

- Agora, relacione as informações.

urubu　　　　　　　　　　　Sílaba tônica é a penúltima → usa-se **o**.

esperto　　　　　　　　　　Sílaba tônica é a última → usa-se **u**.

5. Complete com **o** ou **u**.

a) caj_____   gostos_____

b) igl_____   gelad_____

c) camundong_____   gord_____

d) sapat_____   fedid_____

ORTOGRAFIA

Palavras com gua, gue ou gui

1. Sublinhe o *slogan* do cartaz elaborado para incentivar a higiene das mãos.

AFASTE OS BICHOS, LAVE AS MÃOS.
COM ÁGUA E SABÃO VOCÊ PROTEGE SUA SAÚDE.

Secretaria Estadual da Saúde (RS). Cartaz de campanha que promove a higiene das mãos [...]. Disponível em: https://estado.rs.gov.br/campanha-promove-a-higiene-da-maos-como-alternativa-para-o-combate-a-gripe. Acesso em: 2 maio 2022.

2. A imagem tem relação com qual palavra do *slogan*?

3. Faça um **X** nas frases verdadeiras sobre o cartaz.

☐ Os bichos citados no *slogan* são dinossauros.

☐ Os bichos são micróbios que podem causar doenças.

☐ A mão parece um monstro para lembrar que os micróbios podem fazer mal à saúde.

4. Ligue as palavras que têm a sílaba **gua**, como em **água**.

língua

gavião

á**gua**

régua

foguete

5. Desembaralhe as sílabas para descobrir outras palavras.

a) | gue | ban | la | _____

b) | ra | gua | ná | _____

c) | ra | guer | _____

d) | gui | fo | nho | _____

e) | tar | gui | ra | _____

f) | gua | lé | _____

g) | a | gui | _____

h) | xi | nim | gua | _____

i) | gua | ré | _____

Guaxinim.

CAPÍTULO 21

GRAMÁTICA

Sinônimos

Leia a cantiga.

O cravo e a rosa

O cravo brigou com a rosa
Debaixo de uma sacada
O cravo saiu ferido
E a rosa despedaçada.
O cravo ficou doente
E a rosa foi visitar
O cravo teve um desmaio
E a rosa pôs-se a chorar.

Cantiga.

Circule a palavra que poderíamos usar no lugar de **ferido** sem modificar o sentido da frase.

bonito   machucado   cansado   magoado

A palavra **machucado** tem o mesmo significado de **ferido**, ou seja, uma pode substituir a outra sem alterar o sentido.

As palavras **machucado** e **ferido** são **sinônimas**.

> **Sinônimos** são palavras diferentes, mas que têm o mesmo significado.

Observe algumas palavras e seus sinônimos:

ajudar → auxiliar		**doido** → louco	
alegre → contente		**gostoso** → saboroso	
andar → caminhar		**professor** → mestre	
barulho → ruído		**rápido** → depressa	
cheiroso → perfumado		**saltar** → pular	
colorir → pintar		**valente** → corajoso	

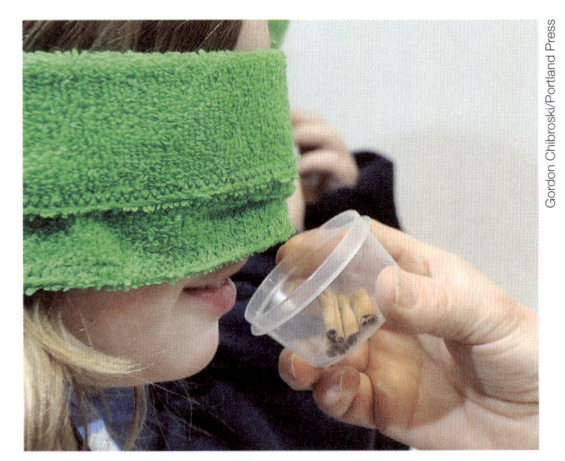

A canela é cheirosa. Também podemos dizer que ela é perfumada.

ATIVIDADES

1. Numere as colunas da direita relacionando-as com seus sinônimos à esquerda.

1 somar	☐	caminhar
2 olhar	☐	gostoso
3 queda	☐	ver
4 andar	☐	adicionar
5 saboroso	☐	tombo

2. Copie as frases trocando as palavras destacadas por sinônimos.

a) Marli é uma **garota** estudiosa.

_____

b) Carlos é um **menino valente**.

_____

c) Gosto de **ajudar** os meus colegas.

_____

d) Minha mãe levou o **carro** para o conserto.

_____

3. Leia o texto, que conta como é a casa de Dona Benta, do Sítio do Picapau Amarelo.

O sítio de Dona Benta

O sítio de Dona Benta ficava num lugar muito **bonito**. A casa era das antigas, de **cômodos** espaçosos e **frescos**. Havia o quarto de Dona Benta, o maior de todos, e junto o de Narizinho, que morava com sua avó. Havia ainda o "quarto de Pedrinho", que lá passava as férias todos os anos; e o da tia Nastácia, a cozinheira e o faz-tudo da casa. Emília e o Visconde não tinham quartos; moravam num cantinho do escritório, onde ficavam as três estantes de livros e a mesa de estudo da menina.

A sala de jantar era bem **espaçosa**, com janelas dando para o jardim, depois vinha a copa e a cozinha.
[...]

Monteiro Lobato. *O saci*. São Paulo: Brasiliense, 2005. p. 9. Disponível em: http://icesp.br/baixe-20-obras-de-monteiro-lobato/. Acesso em: 28 jan. 2021.

a) Localize no diagrama o sinônimo das palavras destacadas no texto.

T	U	M	A	R	K	O	A	B	E	C	A	B	E	L	O
A	P	O	S	E	N	T	O	S	E	F	E	Ó	G	C	D
S	A	A	B	H	B	V	E	N	T	I	L	A	D	O	S
B	D	S	A	M	P	L	A	A	D	O	S	C	D	H	A

b) Copie as palavras que você localizou ao lado de seus sinônimos.

- bonito _____
- frescos _____
- cômodos _____
- espaçosa _____

4. A casa do Sítio do Picapau Amarelo parece ser um local:

☐ agradável.   ☐ triste.   ☐ grande.   ☐ pequeno.

5. Marque as expressões do texto que comprovam sua resposta na atividade 4.

☐ "cômodos espaçosos e frescos"   ☐ "Havia o quarto de Dona Benta"
☐ "ficavam as três estantes de livros"   ☐ "janelas dando para o jardim"

ORTOGRAFIA

Palavras com guo

1. Circule a palavra que contém **guo**.

> Eu enxaguei os copos.
> Meu irmão enxaguou os copos.

2. Encontre no quadro de letras três palavras com **guo**.

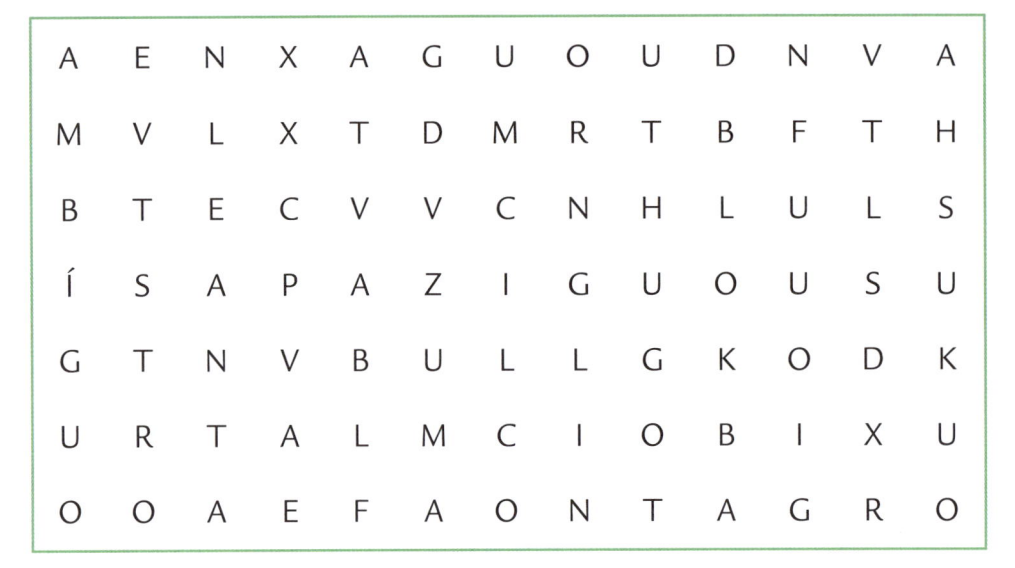

A	E	N	X	A	G	U	O	U	D	N	V	A
M	V	L	X	T	D	M	R	T	B	F	T	H
B	T	E	C	V	V	C	N	H	L	U	L	S
Í	S	A	P	A	Z	I	G	U	O	U	S	U
G	T	N	V	B	U	L	L	G	K	O	D	K
U	R	T	A	L	M	C	I	O	B	I	X	U
O	O	A	E	F	A	O	N	T	A	G	R	O

- Agora, copie as palavras que você encontrou.

a) _____

b) _____

c) _____

3. Ligue as palavras destacadas a seus sinônimos.

a) Meu tio **aguou** as plantas.   pacificou

b) O presidente **apaziguou** o país.   confuso

c) O texto tinha um sentido **ambíguo**.   regou

CAPÍTULO 22

GRAMÁTICA

Antônimos

Leia o poema.

[...]
Curto e comprido,
bom e ruim,
vazio e cheio,
bonito e feio
[...]
Ver de um jeito agora
e de outro jeito depois,
ou melhor ainda,
ver na mesma hora os dois.

Jandira Mansur. *O frio pode ser quente*. 18. ed. São Paulo: Ática, 2009. p. 30-32.

As palavras **curto** e **comprido** têm significados contrários, ou seja, dizem coisas com sentidos opostos.

As palavras **curto** e **comprido** são antônimas.

> As palavras que têm significados contrários são chamadas **antônimas**.

Que outras palavras do texto também têm sentidos contrários? Circule-as e copie-as abaixo.

_____

_____

_____

Conheça algumas palavras e seus antônimos no quadro abaixo:

acender	→ apagar	**fino**	→ grosso
acordar	→ dormir	**forte**	→ fraco
alto	→ baixo	**grande**	→ pequeno
amigo	→ inimigo	**igual**	→ diferente
amor	→ ódio	**justo**	→ injusto
bem	→ mal	**limpo**	→ sujo
bom	→ mau	**longe**	→ perto
calmo	→ nervoso	**mole**	→ duro
cheio	→ vazio	**noite**	→ dia
corajoso	→ medroso	**rico**	→ pobre
curto	→ comprido	**rir**	→ chorar
fácil	→ difícil	**verdade**	→ mentira
feliz	→ infeliz	**vida**	→ morte

ATIVIDADES

1. Copie as frases trocando as palavras destacadas por **antônimos**.

a) Tânia achou a lição **fácil**.

_____

b) Fábio **abriu** a porta e **acendeu** a luz.

_____

c) Aqueles garotos só falam **mentiras**.

_____

d) O tio de Cristiane é **corajoso**.

_____

e) Aquela menina é muito **nervosa**.

_____

f) Fausto ficou **triste** porque **errou** as respostas.

_____

2. De acordo com as imagens, que palavra deveria ser substituída por seu antônimo? Circule-a, depois escreva o antônimo.

a) Esta lição está difícil.

_____

c) Hoje está muito frio.

_____

b) Carla é bem baixa.

_____

d) O rio está limpo.

_____

3. Observe o exemplo e escreva o antônimo das palavras.

feliz / **in**feliz

ATENÇÃO
Lembre-se de que, antes das letras **p** e **b**, usamos a letra **m**.

a) possível _____

c) perfeito _____

b) capaz _____

d) correto _____

ORTOGRAFIA

Palavras com az, ez, iz, oz ou uz

1. Complete as palavras com **az**, **ez**, **iz**, **oz** ou **uz**.

a) rap _____

b) vern _____

c) fer _____

d) cart _____

e) atr _____

f) avestr _____

g) xadr _____

h) cusc _____

i) efic _____

j) chafar _____

k) gravid _____

l) nar _____

m) albatr _____

n) cr _____

o) surd _____

2. Substitua as imagens por palavras e reescreva as frases.

a) Aquela árvore tem uma grande _____ .

_____

b) Titio fez _____ de sardinha.

_____

c) Que bonito o _____ daquela blusa!

_____

d) O _____ estava muito gostoso.

_____

3. Forme palavras com as sílabas destacadas.

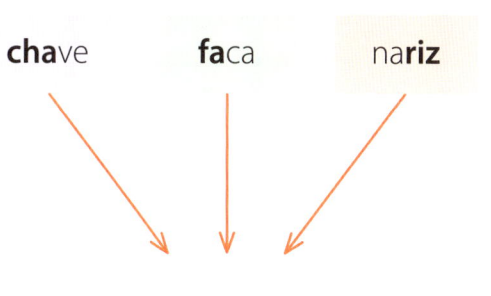

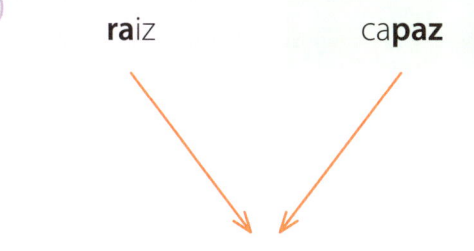

a) **tal**co · **vez**

_____

b) **ra**iz · ca**paz**

_____

c) **a**brir · cica**triz**

_____

d) **cha**ve · **fa**ca · na**riz**

_____

e) **ra**to · **pi**poca · timi**dez**

_____

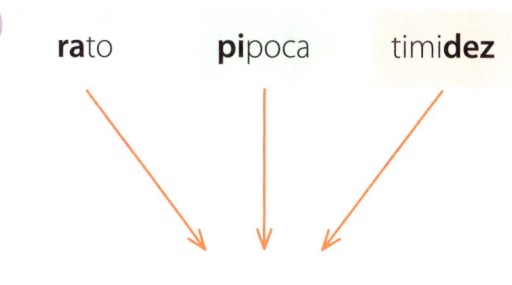

f) ca**re**ta · tra**duz**

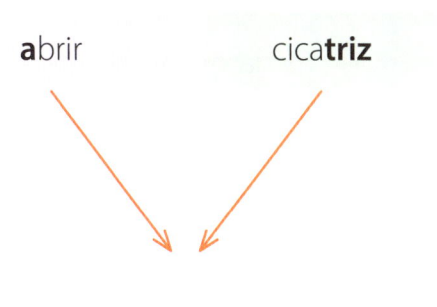

_____

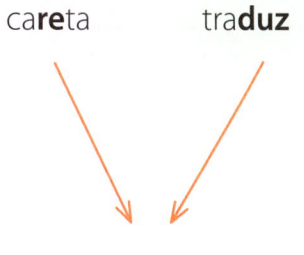

4. Escolha a palavra certa para completar as frases.

a) O rapaz joga _____. (nariz – xadrez)

b) A professora escreve no quadro com _____. (arroz – giz)

c) A _____ do Sol é brilhante. (luz – rapidez)

d) O carro de corrida é _____. (veloz – feliz)

e) Marta fez um _____ sobre o avestruz. (capuz – cartaz)

CAPÍTULO 23

GRAMÁTICA

Sinais de pontuação

Ponto final

Leia as frases e observe os destaques.

Os amigos brincam de corda .

Veja os lobos .

Observe que no final de cada frase há um pontinho. Esse pontinho é o **ponto final** (**.**).

O **ponto final** indica o fim de uma frase. Toda vez que você finaliza um assunto ou afirma algo, coloca o ponto final.

Ponto de interrogação

Agora, leia as frases a seguir:
— Quem são estes meninos ?
— O que os meninos estão fazendo ?
— Onde eles moram ?

O sinal que vemos no fim das frases é o **ponto de interrogação** (**?**).

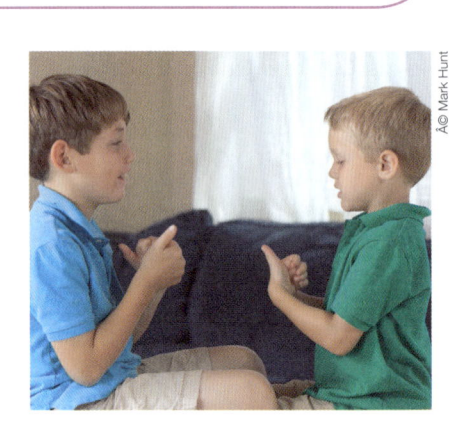

O **ponto de interrogação** é usado quando fazemos uma pergunta direta.

Ponto de exclamação

Leia estas outras frases:

— Que tombo Luísa levou !

— Como Luísa se machucou !

O sinal que está encerrando as frases é o **ponto de exclamação** (**!**).

> O **ponto de exclamação** é usado no fim das frases para indicar medo, espanto, alegria, tristeza, dor, susto e outros sentimentos.

ATIVIDADES

1. Ordene as palavras e escreva as frases formadas colocando o ponto final.

a) esperta é uma menina Julieta

___

b) de semente gosta O passarinho

___

c) na praia brinca Pedro

___

d) palhaço engraçado é um Alegria

___

e) o lixo Em casa reciclamos

___

f) sábados aos Pratico natação.

___

2. Complete os retângulos destacados no trecho da entrevista com pontos finais e pontos de interrogação.

> **Entrevista** é uma conversa entre um jornalista e uma pessoa sobre assuntos variados. Costuma ser publicada em jornais e revistas.

ENTREVISTA

ENTREVISTA COM O ATLETA PEDRO PACHECO – *HANDBALL*

– **Como você começou a praticar esporte** ☐

"Eu comecei a jogar no colégio, a Escola da Vila ☐ Meu técnico era o mesmo técnico do Clube Pinheiros, viu muito potencial em mim, sempre me incentivou bastante. Meus pais também me incentivaram e me deram o suporte necessário para jogar ☐"

[...]

– **[...] Como é a preparação dos atletas** ☐

"[...] A gente tem muito treino físico, corremos bastante, fazemos muita musculação, bastante fortalecimento pra ombro e joelhos, evitando lesões, além dos treinos com bola ☐"

Pedro Pacheco. Entrevista com o atleta [...]. *Jornalismo Esportivo ECA/USP*, 19 nov. 2015. Disponível em: http://www.usp.br/esportivo/index.php/2015/11/19/entrevista-com-o-atleta-pedro-pacheco-handball/. Acesso em: 26 jan. 2022.

3. Qual é o assunto da entrevista?

☐ A história da família do atleta Pedro Pacheco.

☐ A prática esportiva de um jogador de *handball*.

☐ As regras do jogo *handball*.

ORTOGRAFIA

Palavras com l ou u

1. Use **l** ou **u** para completar as palavras e, depois, copie-as.

a) fla____ta _____   f) a____tor _____

b) hote____ _____   g) a____finete _____

c) bo____sa _____   h) a____face _____

d) bacalha____ _____   i) pape____ _____

e) a____ tomóvel _____   j) fa____na _____

2. Junte as sílabas e escreva a palavra.

a) | a | nel | _____

b) | al | fa | be | to | _____

c) | na | tu | ral | _____

d) | min | gau | _____

e) | si | nal | _____

f) | au | dá | cia | _____

g) | cal | dei | rão | _____

h) | tro | féu | _____

Troféu Argos de Literatura Fantástica da premiação de 2017.

3. Separe as sílabas e escreva as palavras.

a) alpiste _____   _____

b) paulada _____   _____

c) saudade _____   _____

d) acelga _____   _____

e) aumenta _____   _____

4. Copie o poema substituindo os sinais de (*) por **l** ou **u**.

Achados e perdidos

Perdi um gatinho
que gosta de
minga*.

É magro, peludinho
e só diz: – Mia*,
mia*...

Nye Ribeiro. *Achados e perdidos*. São Paulo: Roda & Cia, 2010.

_____
_____
_____
_____
_____
_____

5. Complete as lacunas com as palavras do poema.

a) **Gatinho** rima com _____.

b) **Mingau** rima com _____.

6. Ordene as sílabas e escreva as palavras.

a) tor | au _____

b) go | dão | al _____

c) nou | ce | ra _____

d) til | gen _____

CAPÍTULO 24

GRAMÁTICA

Frases afirmativas e frases negativas

Leia os dois cartazes.

AVISO
MANTENHA A PORTA FECHADA

ATENÇÃO
NÃO DEIXE A PORTA ABERTA

O significado das mensagens dos dois cartazes é:

☐ igual. ☐ diferente.

Embora sejam escritas de formas diferentes, as frases dos dois cartazes comunicam a mesma ideia.

> **Frase** é um conjunto de palavras que informa ou comunica alguma coisa. Sempre começamos a frase com letra maiúscula.

Mantenha a porta fechada.

Essa é uma frase **afirmativa** porque está afirmando alguma coisa.

Não deixe a porta aberta.

Essa é uma frase **negativa** porque está negando alguma coisa.
No fim de uma frase afirmativa ou negativa, usamos o ponto final.

ATIVIDADES

1. Use **A** para as frases afirmativas e **N** para as frases negativas.

☐ Juca é um bom aluno.　　　　☐ Mamãe não vai sair hoje.

☐ Meu avô não gosta de pipoca.　☐ Larissa não gostou do doce.

☐ Vou tomar suco de uva.　　　☐ Esse livro é muito interessante.

☐ Eu vou à feira.　　　　　　　☐ Leonardo não joga futebol.

2. Agora, transforme as **frases afirmativas** em **frases negativas**, seguindo os modelos:

> Dandara adora *video game*.
> Dandara **não** adora *video game*.

> Carlos gosta de café.
> Carlos **não** gosta de café.

a) José gosta de coentro.

_____

b) Regina comeu o bolo de morango.

_____

c) O carro é do tio do Henrique.

_____

d) Meu primo gosta de doce.

_____

e) Eu leio as tiras do jornal todos os dias.

_____

3. Leia a fábula.

A gansa dos ovos de ouro

Um homem e sua mulher tinham a sorte de possuir uma gansa que todos os dias punha um ovo de ouro.

Mesmo com toda essa sorte, eles acharam que estavam enriquecendo muito devagar, que assim não dava...

Imaginando que a gansa devia ser de ouro por dentro, resolveram matá-la e pegar aquela fortuna toda de uma vez.

Só que, quando abriram a barriga da gansa, viram que por dentro ela era igualzinha a todas as outras.

Foi assim que os dois não ficaram ricos de uma vez só, como tinham imaginado, nem puderam continuar recebendo o ovo de ouro que todos os dias aumentava um pouquinho sua fortuna.

Não tente forçar demais a sorte.

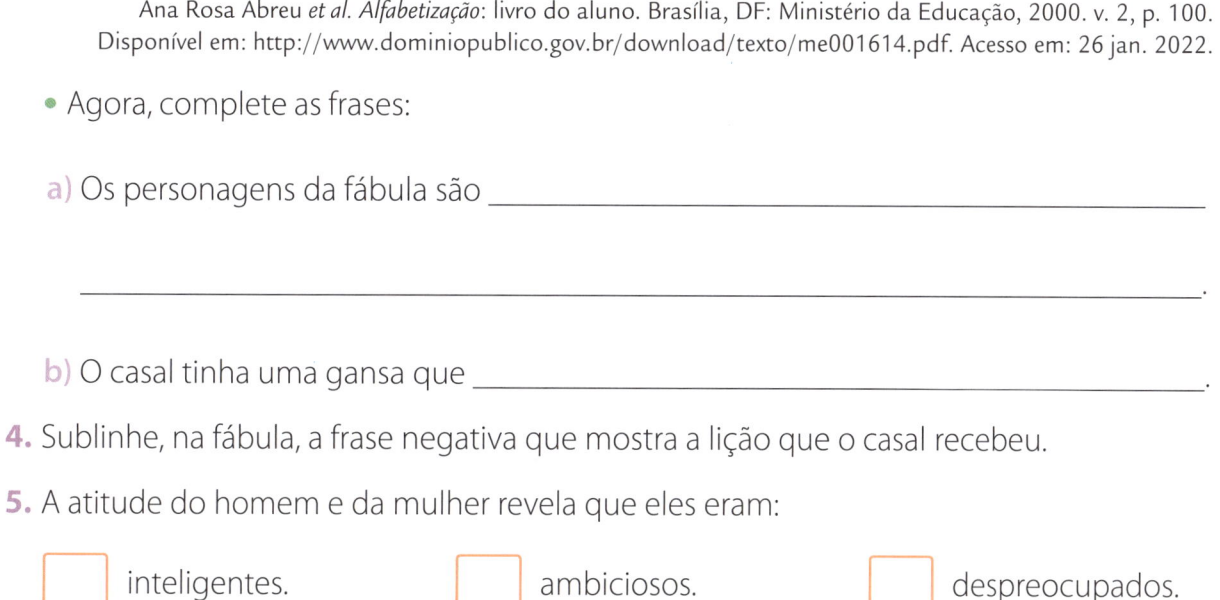

Ana Rosa Abreu *et al. Alfabetização*: livro do aluno. Brasília, DF: Ministério da Educação, 2000. v. 2, p. 100. Disponível em: http://www.dominiopublico.gov.br/download/texto/me001614.pdf. Acesso em: 26 jan. 2022.

- Agora, complete as frases:

a) Os personagens da fábula são _____

_____.

b) O casal tinha uma gansa que _____.

4. Sublinhe, na fábula, a frase negativa que mostra a lição que o casal recebeu.

5. A atitude do homem e da mulher revela que eles eram:

☐ inteligentes.   ☐ ambiciosos.   ☐ despreocupados.

ORTOGRAFIA

Palavras em que o s representa o som de z

> O **s** entre duas vogais representa o som de **z**.
> Exemplos: casa, mesa, asa.

1. Use **a**, **e**, **i**, **o** ou **u** para completar as palavras e, depois, copie-as.

a) m____s____   _____

b) v____s____   _____

c) f____s____   _____

d) cam____s____   _____

e) c____s____co   _____

f) v____s____ta   _____

g) anál____s____   _____

h) cas____l____   _____

2. Separe as sílabas das palavras e as reescreva.

a) gasolina _____   _____

b) casamento _____   _____

c) camiseta _____   _____

d) roseira _____   _____

e) dengosa _____   _____

f) representar _____   _____

3. Escreva o nome dos objetos representados pelas imagens.

a)

b)

_____   _____

4. Organize as palavras e escreva as frases formadas.

a) gostaram Os paisagem irmãos da.

_____

_____

b) Isadora passeio viu um no sua com bisavó besouro.

_____

_____

c) comprou Rosinha uma fantasia.

_____

_____

d) uma raposa Antônio desenhou.

_____

_____

e) festa mãe para a Minha costurou a saia.

_____

_____

5. Complete as frases usando as palavras do quadro abaixo corretamente.

| camiseta | bondoso | música | dengosa |

a) Lucas usou a _____ nova.

b) Fabiana gosta de ouvir _____.

c) Luísa é uma garota _____.

d) César é muito _____.

6. Junte as sílabas em destaque para formar novas palavras. Depois, copie as palavras nas colunas correspondentes.

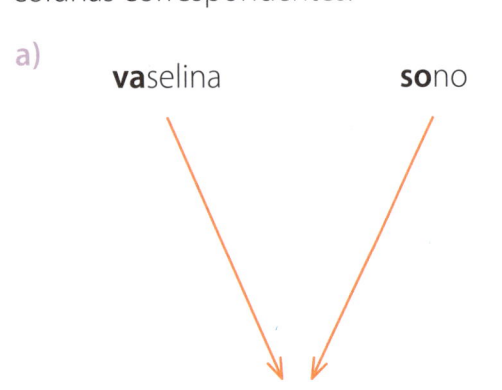

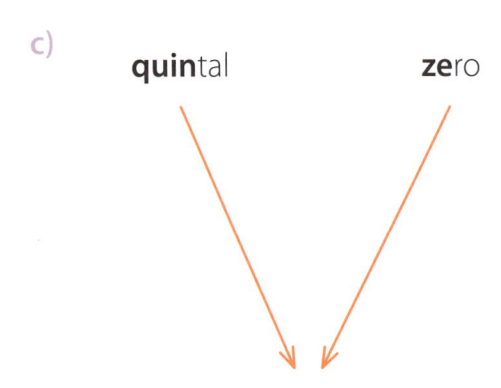

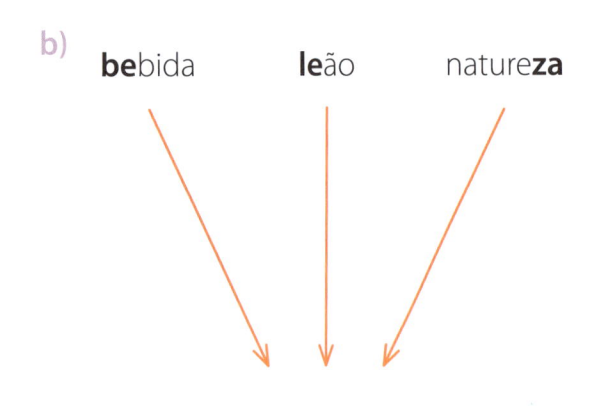

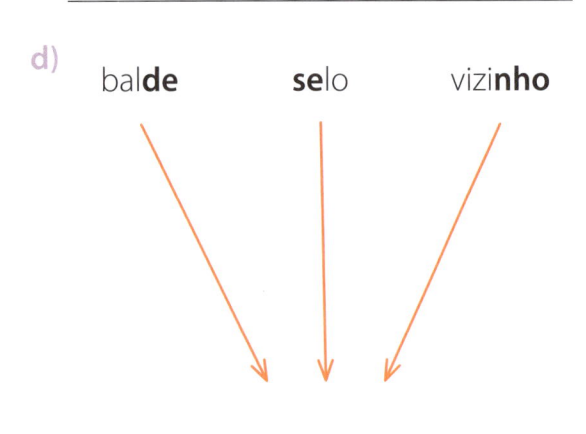

a) **va**selina **so**no

_____

b) **be**bida **le**ão natu**re**za

_____

c) **quin**tal **ze**ro

_____

d) bal**de** **se**lo vizi**nho**

_____

Palavras com Z	Palavras com S representando o som de Z

CAPÍTULO 25

GRAMÁTICA

Frases interrogativas e exclamativas

Leia o texto observando as frases destacadas.

[...]
Dona Cris percebe que a filha está irrequieta e consegue imaginar a razão. Sabe o quanto Lelê deseja vencer a olimpíada da escola. Afinal, esforçou-se muito pra isso!
– Então, filhinha, ainda não está dormindo?
– Eu não estou conseguindo – responde Lelê.
– Eu também ficava nervosa na véspera dos meus campeonatos.
– **E se eu não vencer?**
– **Não será o fim do mundo!** Você ainda é nova e haverá outros campeonatos. E, depois, vencer não é o mais importante, mas sim praticar este esporte tão emocionante e participar da festa, que é linda e muito animada!
[...]

Maria Cristina Furtado. *A grande campeã*. São Paulo: Editora do Brasil, 2015. p. 6.

A frase "E se eu não vencer?" é uma **frase interrogativa**, porque é uma pergunta.

No fim de uma frase interrogativa, usamos o **ponto de interrogação (?)**.

Já a frase "Não será o fim do mundo!" é uma **frase exclamativa**.

Nas frases exclamativas, podemos expressar surpresa, medo, alegria, tristeza, dor ou susto.

No fim de uma frase exclamativa, usamos o **ponto de exclamação (!)**.

ATIVIDADES

1. Complete as **frases interrogativas** da parlenda com o sinal de pontuação adequado.

Cadê o toucinho que estava aqui_____
O gato comeu.

Cadê o gato_____
Foi pro mato.

Cadê o mato_____
O fogo queimou.

Cadê o fogo_____
A água apagou.

Cadê a água_____
O boi bebeu.

Cadê o boi_____
Foi carregar trigo.

Cadê o trigo_____
A galinha espalhou.

Cadê a galinha_____
Foi botar ovo.

Cadê o ovo_____
O padre comeu.

Cadê o padre_____
Foi rezar missa.

Cadê a missa_____
Acabou!

Parlenda.

2. O que contribui para dar ritmo à parlenda?

☐ Os versos curtos.

☐ Os personagens.

☐ As repetições de palavras.

3. Siga o modelo e transforme as frases afirmativas em interrogativas.

As frutas estão na fruteira. → **Onde** estão as frutas?

a) Os lápis estão na caixa.

_____

b) Laura comprou o suco na lanchonete.

_____

4. Complete as frases interrogativas com as palavras do quadro abaixo.

| Por que | Quantos | Onde | Quem |

a) _____ nos encontraremos quando chegarmos?

b) _____ trouxe esse bolo de chocolate para a escola?

c) _____ você não leu esse livro ainda?

d) _____ dias faltam para nossas férias?

5. Siga o modelo e transforme as frases afirmativas em exclamativas.

O suco está delicioso. → **Como** o suco está delicioso!

a) Rômulo é um menino astuto.

_____

b) O cachorro de Beatriz é manso.

_____

6. Observe as imagens e escreva uma frase exclamativa para cada uma delas.

a)

b)

ORTOGRAFIA

Palavras com x ou ch

1. Use **x** ou **ch** para completar as palavras e, depois, copie-as.

a) _____eio _____

b) pei_____e _____

c) _____ute _____

d) _____ereta _____

e) _____adrez _____

f) _____amada _____

g) _____ícara _____

h) en_____oval _____

2. Junte as sílabas e escreva as palavras.

a) | fai | xa | _____

b) | ca | xum | ba | _____

c) | chi | ne | lo | _____

d) | a | ba | ca | xi | _____

e) | cha | vei | ro | _____

f) | chu | vis | co | _____

g) | ri | a | cho | _____

h) | fei | xe | _____

3. Escreva o nome dos objetos representados pelas imagens.

a)

b)

_____ _____

4. Complete os trava-línguas com **x** ou **ch**.

a) A menina sujou o _____ale com o _____arope que estava na _____ícara do _____erife.

b) O ca_____orro levou a _____uteira que estava na _____uva para o capa_____o embaixo das _____aves.

5. Leia a legenda da fotografia e complete a palavra com **x** ou **ch**.

Diversas ruas de Campos, Rio de Janeiro, ficaram alagadas devido à _____uva.

Alice Sousa. Chuva e ventania causam transtornos em Campos, no RJ. *G1*, Rio de Janeiro, 31 out. 2020. Disponível em: https://g1.globo.com/rj/norte-fluminense/noticia/2020/10/31/chuva-e-ventania-causam-transtornos-em-campos-no-rj.ghtml. Acesso em: 17 jan. 2022.

6. Marque em cada item a afirmação correta sobre a legenda.

a) ☐ A legenda precisa ficar próxima da foto.

☐ A legenda pode ficar distante da foto.

b) ☐ A fotografia não tem relação com a legenda.

☐ A legenda descreve e explica a fotografia.

CAPÍTULO 26

GRAMÁTICA

Pronomes pessoais

Leia as frases a seguir e observe os destaques:

Tadeu estuda a lição.
Ele estuda a lição.

Janaína ganhou um presente.
Ela ganhou um presente.

Os meninos brincam no parque.
Eles brincam no parque.

A palavra **ele** substituiu o substantivo **Tadeu**.
A palavra **ela** substituiu o substantivo **Janaína**.
A palavra **eles** substituiu o substantivo **meninos**.
As palavras **ele**, **ela** e **eles** são **pronomes pessoais**.

> **Pronomes pessoais** são palavras que usamos para substituir os nomes.

São **pronomes pessoais**: eu, tu, ele, ela, você, nós, vós, eles, elas, vocês.

ATIVIDADES

1. Leia as frases e circule os pronomes pessoais.
   a) Eu li todo o livro.
   b) Nós caminhamos no parque.
   c) Ela adora andar de *skate*.
   d) Eles trabalham bastante.
   e) Vocês limparam o jardim?
   f) Você deveria ir mais ao cinema!

2. Leia o texto para responder às questões.

> É primavera! Todos os anos, nesta época, milhares de gaivotas reúnem-se em uma ilha muito especial: a Ilha das Gaivotas. Ali permanecem por um bom tempo. Elas só vão embora quando os novos filhotinhos saem dos ovos e já estão fortes para voar longas distâncias. [...]

Maria Cristina Furtado. *A grande campeã*. São Paulo: Editora do Brasil, 2015. p. 5.

   a) Encontre e copie o pronome pessoal presente no texto.

   _____

   b) Esse pronome pessoal foi usado para substituir que palavra do texto?

   _____

   c) O que as gaivotas vão fazer na ilha?

   _____

   d) Em que estação do ano as gaivotas visitam a ilha?

   _____

3. Reescreva as frases substituindo os pronomes pessoais por nomes próprios.
   a) Ela é minha prima.

   _____

   b) Ele acordou tarde.

   _____

ORTOGRAFIA

Palavras em que o x representa o som de z

1. Complete as palavras usando a letra **x** e, depois, escreva-as ao lado.

a) e____ato _____

b) e____emplo _____

c) e____istir _____

d) e____ibir _____

e) e____ercício _____

f) e____ame _____

g) e____ecutar _____

h) e____agero _____

2. Ordene as sílabas e escreva as palavras. Leia as palavras em voz alta: em todas elas, a letra **x** representa o som de **z**.

a) xaus | e | to _____

b) xer | e | cer _____

c) tor | e | xaus _____

d) xa | e | me _____

e) ti | xó | e | co _____

f) xér | e | ci | to _____

g) xa | ti | e | dão _____

h) ge | xa | ro | e _____

3. Circule no texto palavras que tenham **x** representando o som de **z**.

A *Rafflesia arnoldii* é uma planta exótica devido à sua aparência. Nativa da Indonésia, ela produz a maior flor do mundo, que pode chegar a aproximadamente 1 metro de diâmetro e pesar até 11 quilos. Exala um odor parecido com o de carne podre, que atrai moscas, o inseto responsável por sua polinização.

4. Leia em voz alta as palavras do quadro e encontre aquelas em que a letra **x** representa o som de **z**.

| exemplo | exército | enxada | examinar | exibir |
| xarope | xale | exatidão | mexerica | exagero |

• Agora, copie as palavras que você encontrou nos espaços a seguir. **Dica**: você deverá completar todos os espaços.

X

5. Leia o ditado popular e circule a palavra em que o **x** representa o som de **z**.

> Os **ditados populares** são frases curtas que trazem um ensinamento para as pessoas e são transmitidos oralmente de geração para geração.

O exemplo vale mais que mil palavras.

6. Assinale a imagem que explica o ditado.

Jogue o lixo na lixeira.

145

CAPÍTULO 27

GRAMÁTICA

Verbo

Leia o poema.

O acrobata

O acrobata **desenha** com o corpo
uma pirueta no céu:
Pula e **vira**
salta e **rola**
dança e **gira**
solto no ar
como se fosse um balão.

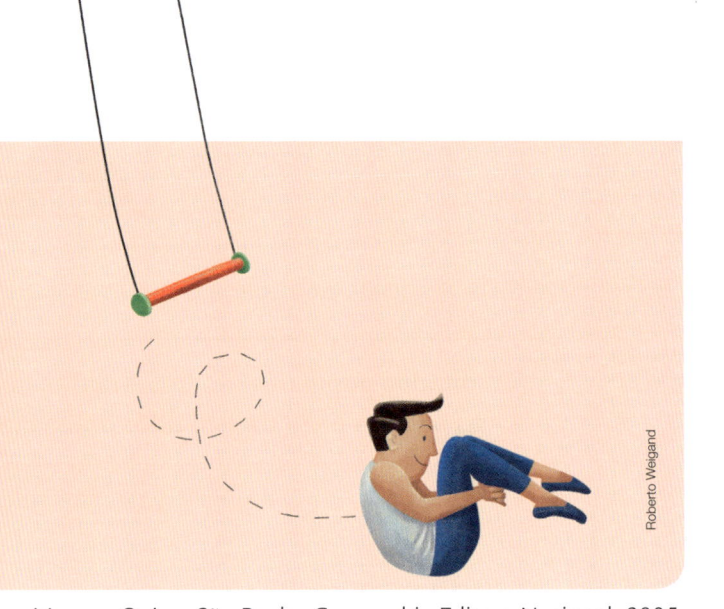

Roseana Murray. *O circo*. São Paulo: Companhia Editora Nacional, 2005.

As palavras **desenha**, **pula**, **vira**, **salta**, **rola**, **dança** e **gira** indicam as ações realizadas pelo acrobata. Essas palavras são **verbos**.

> **Ação** é atividade ou o movimento que pessoas, animais ou objetos fazem. Para indicar a ação, usamos **verbos**.

Agora, observe outros personagens do circo. O que eles estão fazendo? Escreva as ações realizadas por eles nos espaços a seguir, como no exemplo.

O acrobata **pula**.

O apresentador _____.

O palhaço _____.

Os bailarinos _____.

ATIVIDADES

1. Complete com **verbos**.

   a) A professora _____ a lição.

   b) O bombeiro _____ o fogo.

   c) A médica _____ o doente.

   d) A jornalista _____ a matéria do jornal.

   e) O feirante _____ as frutas.

   f) O garçom _____ os pratos.

2. Observe as imagens e escreva a ação retratada em cada uma.

   a) _____

   b) _____

   c) _____

   d) _____

   e) _____

   f) _____

3. Forme frases com os verbos a seguir.

   a) sair

   _____

   b) arrumar

   _____

4. Leia os versos e associe cada personagem à sua respectiva ação.

As flores já não crescem mais,
Até o alecrim murchou,
O sapo se mandou,
O lambari morreu,
Porque o ribeirão secou!

Tradição popular.

- A alecrim
- B sapo
- C lambari
- D ribeirão

- ☐ se mandou
- ☐ secou
- ☐ murchou
- ☐ morreu

ORTOGRAFIA

Palavras com s, ss e x representando o som de s

1. Leia o comunicado e complete as palavras com a letra **x**.

Atenção, alunos do 2º ano!

Os alunos do 2º ano vão visitar uma e_____posição de quadros e esculturas no museu da cidade. A e_____cursão será na pró_____ima se_____ta-feira.

Durante a visita, os monitores vão e_____plicar algumas obras.
Contamos com a presença de todos!
A direção.

• Agora, copie as palavras que você completou.

_____   _____

_____   _____

_____

2. O objetivo do comunicado para os alunos do 2º ano era:

☐ explicar o que é um museu.

☐ combinar uma excursão ao museu com a turma.

☐ avisar que abriu um museu na cidade.

3. Separe as sílabas das palavras e, depois, escreva-as ao lado. Observe que nelas o **x** representa o som de **s**.

a) extrato _____ _____

b) próximo _____ _____

c) texto _____ _____

4. Imagine que a dica abaixo foi retirada de um *site* de receitas culinárias. Complete as palavras com **x** ou com **ss**.

DICA SABOROSA DO DIA:

E____perimente e____e e____trato de tomate natural na sua pró____ima receita.

5. Complete os espaços com **x** ou **s**. Depois, escreva as palavras.

a) e____plosão _____

b) e____cada _____

c) e____curo _____

d) e____perimentar _____

e) e____fera _____

f) e____ceder _____

g) e____terno _____

h) e____cola _____

i) e____plicação _____

j) e____tudo _____

k) e____cama _____

l) te____to _____

CAPÍTULO 28

GRAMÁTICA

Verbo: tempos verbais

Leia as frases que acompanham as imagens observando os destaques.

Carmen **viaja** todos os anos.
(presente)

Breno **viajou** nas férias.
(passado)

Lúcia e Aline **viajarão** juntas.
(futuro)

Em todas as frases que você leu, foi usado o mesmo verbo: **viajar**. Em cada uma delas, esse verbo foi conjugado em um tempo diferente:

- Carmen **viaja** todos os anos. → O verbo está no tempo **presente**, porque a ação acontece naquele momento e pode, também, indicar uma ação habitual.
- Breno **viajou** nas férias. → O verbo está no tempo **passado**, porque a ação já aconteceu.
- Lúcia e Aline **viajarão** juntas. → O verbo está no **futuro**, porque a ação ainda vai acontecer.

ATIVIDADES

1. Preencha o diagrama com os verbos no tempo presente do quadro abaixo, de acordo com as ações praticadas pelas pessoas.

canta
dança
escreve
joga
desenha
cozinha

2. Carla e os avós fizeram uma competição de trava-línguas. Veja o que disseram uns aos outros e escreva em qual **tempo** o verbo do trava-língua está.

a) O rato roeu a roupa do rei de Roma. _____

b) A arara loura falará. _____

c) Uma aranha dentro da jarra. Nem a jarra arranha a aranha nem a aranha arranha a jarra. _____

3. Preencha as lacunas da parlenda com os verbos nos tempos indicados entre parênteses.

Serra, serra, serrador

Quantas tábuas já _____? (serrar no passado)

Já _____ vinte e quatro. (serrar no passado)

Uma, duas, três, quatro.

Parlenda.

- Agora, reescreva a parlenda abaixo.

_____

_____

_____

_____

4. Reescreva as frases no tempo passado e descubra o que Rafael fez em sua última viagem.

a) Ele brinca no quintal com as primas. _____

_____

b) Ele anda de bicicleta e de patinete. _____

_____

5. Em seu caderno de anotações, João elaborou uma lista do que pretende fazer nas próximas férias. Leia e circule todos os verbos que estão no futuro.

- Escalarei uma montanha.
- Experimentarei um sabor novo de sorvete.
- Brincarei com novos amigos.
- Lerei livros de aventura.
- Beijarei muito o vovô e a vovó.

ORTOGRAFIA

Palavras com g ou j

Com as vogais **e** e **i**.
- Para representar o som de **j**, use **g**;
- Para representar o som de **g**, use **gu**.

1. Leia o texto, ligue os pontos da imagem e descubra a resposta. Depois, escreva a palavra.

Sobremesa bem fresquinha
treme, treme, que gracinha!
Colorida e saborosa,
tem amarela, verde e rosa.

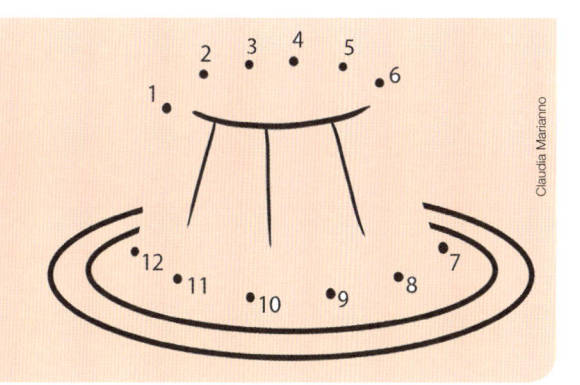

Escrito especialmente para esta obra.

_____

2. Complete os espaços com **g** ou **j**. Depois, escreva as palavras.

a) reló____io _____

b) ____iló _____

c) ____eneroso _____

d) ____ipe _____

e) ____eleia _____

f) ____inástica _____

g) a____enda _____

h) ____eito _____

i) tan____erina _____

j) berin____ela _____

k) laran____eira _____

l) ____eral _____

m) má____ico _____

n) ____iboia _____

o) ____elado _____

p) in____eção _____

3. Circule na capa do livro a palavra que contém a letra **g**.

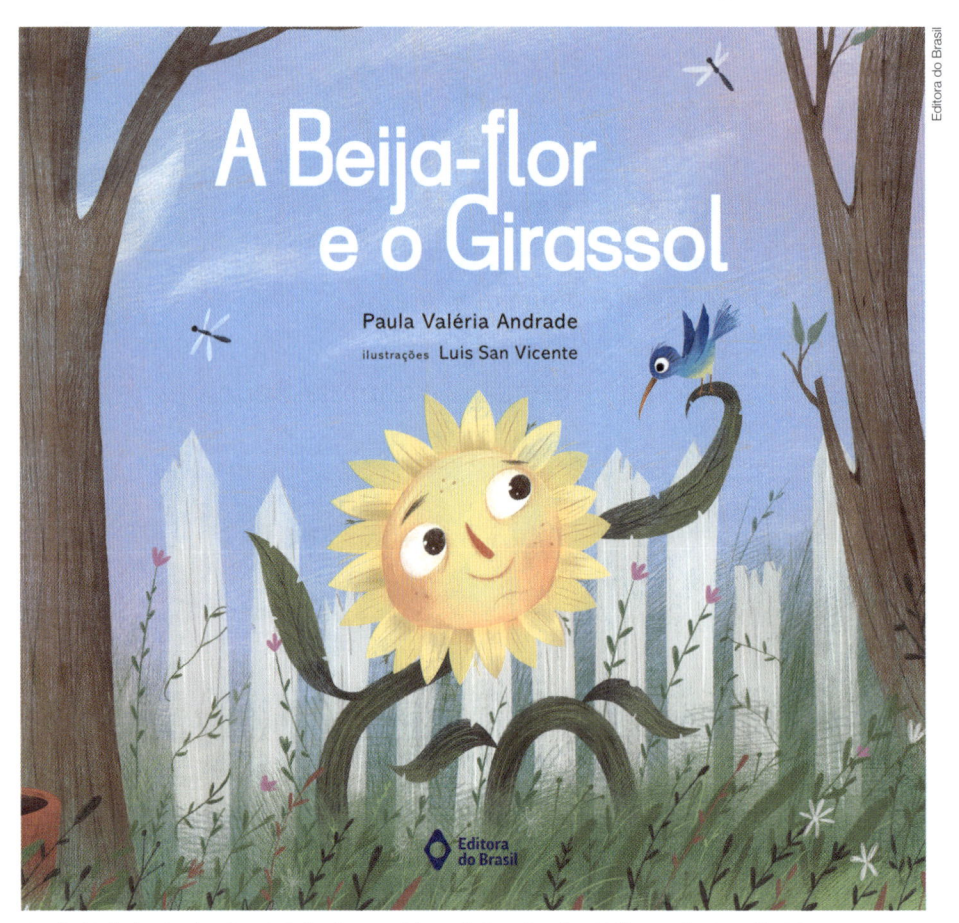

A Beija-flor e o Girassol

Paula Valéria Andrade
ilustrações Luis San Vicente

Editora do Brasil

Paula Valéria Andrade. *A Beija-flor e o Girassol*. São Paulo: Editora do Brasil, 2017.

- Agora, escreva essa palavra abaixo.

_____

4. Observe o título e a ilustração da capa. Qual é o objetivo do livro?

☐ Apresentar informações sobre pássaros e flores.

☐ Contar uma história sobre a amizade entre uma beija-flor e um girassol.

☐ Ensinar uma brincadeira no parque.

5. Separe as sílabas e escreva as palavras.

a) girafa _____   _____

b) canjica _____   _____

c) margem _____   _____

154

CAPÍTULO 29

GRAMÁTICA

Terminações verbais

Os verbos são organizados em três conjugações:

> **Primeira conjugação** – verbos terminados em **ar**.
> **Segunda conjugação** – verbos terminados em **er**.
> **Terceira conjugação** – verbos terminados em **ir**.

Verbos terminados em ar

Veja abaixo a conjugação do verbo **cantar** nos tempos **presente**, **passado** e **futuro**.

Nad**ar**.

Cantar		
Presente	Passado	Futuro
Eu cant**o**	Eu cant**ei**	Eu cant**arei**
Tu cant**as**	Tu cant**aste**	Tu cant**arás**
Ele/Ela/Você cant**a**	Ele/Ela/Você cant**ou**	Ele/Ela/Você cant**ará**
Nós cant**amos**	Nós cant**amos**	Nós cant**aremos**
Vós cant**ais**	Vós cant**astes**	Vós cant**areis**
Eles/Elas/Vocês cant**am**	Eles/Elas/Vocês cant**aram**	Eles/Elas/Vocês cant**arão**

Verbos terminados em er

Veja abaixo a conjugação do verbo **vender** nos tempos **presente**, **passado** e **futuro**.

Correr.

Vender		
Presente	Passado	Futuro
Eu vendo	Eu vendi	Eu venderei
Tu vendes	Tu vendeste	Tu venderás
Ele/Ela/Você vende	Ele/Ela/Você vendeu	Ele/Ela/Você venderá
Nós vendemos	Nós vendemos	Nós venderemos
Vós vendeis	Vós vendestes	Vós vendereis
Eles/Elas/Vocês vendem	Eles/Elas/Vocês venderam	Eles/Elas/Vocês venderão

Verbos terminados em ir

Veja abaixo a conjugação do verbo **partir** nos tempos **presente**, **passado** e **futuro**.

Sorrir.

Partir		
Presente	Passado	Futuro
Eu parto	Eu parti	Eu partirei
Tu partes	Tu partiste	Tu partirás
Ele/Ela/Você parte	Ele/Ela/Você partiu	Ele/Ela/Você partirá
Nós partimos	Nós partimos	Nós partiremos
Vós partis	Vós partistes	Vós partireis
Eles/Elas/Vocês partem	Eles/Elas/Vocês partiram	Eles/Elas/Vocês partirão

ATIVIDADES

1. Complete corretamente as frases com a conjugação dos verbos no tempo indicado entre parênteses.

a) pintar (presente)

Eu _____ o desenho.

Ela _____ o desenho.

Nós _____ o desenho.

Vós _____ o desenho.

Vocês _____ o desenho.

b) beber (passado)

Tu _____ o suco.

Ela _____ o suco.

Você _____ o suco.

Nós _____ o suco.

Eles _____ o suco.

c) abrir (futuro)

Eu _____ a porta.

Ele _____ a porta.

Vós _____ a porta.

Elas _____ a porta.

Vocês _____ a porta.

2. Leia o início deste conhecido conto e sublinhe o que aconteceu com a Chapeuzinho quando ela chegou à trilha.

Chapeuzinho Vermelho

Era uma vez, numa pequena cidade às margens da floresta, uma menina de olhos negros e louros cabelos cacheados, tão graciosa quanto valiosa.

Um dia, com um retalho de tecido vermelho, sua mãe costurou para ela uma curta capa com capuz; ficou uma belezinha, combinando muito bem com os cabelos louros e os olhos negros da menina.

[...]

Um dia, a mãe da menina preparou algumas broas das quais a avó gostava muito [...]. A mãe arrumou as broas em um cesto e colocou também um pote de geleia e um tablete de manteiga. A vovó gostava de comer as broinhas com manteiga fresquinha e geleia.

Chapeuzinho Vermelho pegou o cesto e foi embora. A mata era cerrada e escura. No meio das árvores somente se ouvia o chilrear de alguns pássaros e, ao longe, o ruído dos machados dos lenhadores.

A menina ia por uma trilha quando, de repente, apareceu-lhe na frente um lobo enorme, de pelo escuro e olhos brilhantes.

Olhando para aquela linda menina, o lobo pensou que ela devia ser macia e saborosa. Queria mesmo devorá-la num bocado só. Mas não teve coragem, temendo os cortadores de lenha que poderiam ouvir os gritos da vítima. Por isso, decidiu usar de astúcia.

[...]

Denise Oliveira. *Contos tradicionais, fábulas, lendas e mitos*. Brasília, DF: Ministério da Educação, 2000. p. 27-28. Disponível em: www.dominiopublico.gov.br/download/texto/me001614.pdf. Acesso em: 8 fev. 2021.

3. Releia o trecho abaixo e observe os verbos destacados. Depois, complete as frases.

> A mãe **arrumou** as broas em um cesto e **colocou** também um pote de geleia e um tablete de manteiga.

a) O conto narra fatos que já aconteceram. Portanto, os verbos estão no _____.

b) Se os fatos ainda fossem acontecer, no futuro, esses verbos ficariam assim:

_____.

4. Complete as frases com os verbos indicados nos parênteses no **tempo passado**.

a) Ontem, ela _____ os bombons. (repartir)

b) Ontem, você _____ o buraco. (saltar)

c) Ontem, eles _____ bastante. (estudar)

d) Ontem, nós _____ o suco. (beber)

e) Ontem, vocês _____ o espetáculo. (aplaudir)

f) Ontem, eu _____ no caderno. (escrever)

5. Preencha o diagrama de palavras escrevendo os verbos de acordo com as ações retratadas nas fotografias.

ORTOGRAFIA

Emprego de am e ão

1. Leia os títulos e os subtítulos das notícias I e II e circule as formas do verbo **nascer** que aparecem nelas.

I.

FILHOTES DE TUBARÃO-LIXA QUE NASCERAM NA BAHIA SÃO TRANSFERIDOS PARA SE; ESPÉCIE ESTÁ AMEAÇADA DE EXTINÇÃO

Segundo o Tamar, responsável pelos animais, os tubarões vão viver em um oceanário de Aracaju para ajudar a divulgar a mensagem da preservação da espécie. Viagem foi realizada nesta terça-feira (6).

Filhotes de tubarão [...]. *G1*, [Rio de Janeiro], 6 out. 2020. Disponível em: https://g1.globo.com/ba/bahia/noticia/2020/10/06/filhotes-de-tubarao-lixa-que-nasceram-na-bahia-sao-transferidos-para-se-especie-esta-em-extincao.ghtml. Acesso em: 8 fev. 2021.

II.

MAIS DE 392 MIL BEBÊS NASCERÃO DURANTE O DIA DE HOJE EM TODO O GLOBO

No Brasil, estimativa é de oito mil nascimentos no primeiro dia do ano

Alana Granda. *Agência Brasil*, [Brasília, DF], 1 jan. 2020. Disponível em: https://agenciabrasil.ebc.com.br/geral/noticia/2020-01/mais-de-392-mil-bebes-nascerao-durante-o-dia-de-hoje-em-todo-o-globo. Acesso em: 8 fev. 2021.

2. Leia a regra abaixo.

> Usa-se **am** na conjugação verbal quando a ação já aconteceu; indica **passado**.
> Usa-se **ão** na conjugação verbal quando a ação ainda vai acontecer; indica **futuro**.

- Agora, preencha a tabela com as palavras do quadro. Para isso, baseie-se nas informações dos títulos das notícias da atividade anterior.

ainda vão acontecer   já aconteceram   passado   futuro   am   ão

Título 1	Título 2
Nascimentos _____	Nascimentos _____
Verbo no tempo _____	Verbo no tempo _____
Verbo escrito com final _____	Verbo escrito com final _____

3. Observe as imagens e complete as frases com os verbos nos **tempos** indicados.

a) As crianças _____. (passado)

Elas _____. (futuro)

b) Os meninos _____. (passado)

Eles _____. (futuro)

c) Os gatos _____ a ração. (passado)

Eles _____ a ração. (futuro)

CAPÍTULO 30

GRAMÁTICA

Sujeito e predicado

Leia o texto a seguir.

Veja o índio!

Rubi brinca de índio.
Ele dança, ele canta, ele grita:
– Iu... uu... io... oo... iu... uu...
Ah! [...] ele usa a imaginação e
faz uma boa imitação.

Mary França; Eliardo França. *Todas as letras*. São Paulo: Global, 2012. p. 26.

Releia esta frase retirada do texto:

Rubi brinca de índio.

"Rubi" é o **sujeito** da frase, pois foi sobre ele que informamos alguma coisa.

Para saber quem é o sujeito, podemos perguntar "Quem?" ou "O quê?" ao verbo da frase.

O trecho "brinca de índio" é o **predicado** da frase, ou seja, é o que se diz do sujeito.

Para saber qual é o predicado da frase, podemos perguntar "O que o sujeito faz?".

O **verbo** sempre pertence ao **predicado**.

> Quem pratica a ação é chamado de **sujeito**.
> Tirando o sujeito, ao restante das informações damos o nome de **predicado**.

ATIVIDADES

1. No quadro a seguir há sujeitos e predicados. De acordo com as ilustrações, complete as frases.

As crianças   estuda Matemática   O patinho   prepara o jantar   Laura e Lili

a)

Sujeito	Predicado
	pulam corda no recreio.

b)

Sujeito	Predicado
Paulinho	

c)

Sujeito	Predicado
	nada no lago.

d)

Sujeito	Predicado
O cozinheiro	

e)

Sujeito	Predicado
	brincam na gangorra.

2. Observe as fotografias e complete as curiosidades com o sujeito de cada frase.

23 COISAS INCRÍVEIS SOBRE ANIMAIS QUE VOCÊ NUNCA IMAGINOU

[...]

_____ têm três pálpebras em cada olho: uma para piscar, uma para dormir e uma para limpeza.

[...]

_____ usam seus tentáculos para sentir o gosto e o cheiro das coisas.

[...]

_____ não têm dentes, mas suas línguas são extremamente pegajosas e podem crescer até dois metros de comprimento.

[...]

_____ podem sobreviver por três anos sem alimentos.

23 coisas incríveis [...]. *Galileu*, [São Paulo], 16 ago. 2017. Disponível em: https://revistagalileu.globo.com/Ciencia/noticia/2017/08/23-coisas-incriveis-sobre-animais-que-voce-nunca-imaginou.html. Acesso em: 8 fev. 2021.

3. Complete os espaços com um sujeito em cada oração.

a) _____ vendeu o livro.

b) _____ gosta de pamonha.

c) _____ quero dormir.

d) _____ brincam no parque.

e) _____ andou a cavalo.

f) _____ joga bola.

ORTOGRAFIA

Palavras terminadas em ão, ãe, ã/ãos, ões, ães, ãs

O plural das palavras terminadas em **ão** pode ser formado de três maneiras:

- p**ão** – p**ães**
- ch**ão** – ch**ãos**
- estaç**ão** – estaç**ões**

Veja o plural de palavras terminadas em ã/ãs:

- l**ã** – l**ãs**
- maç**ã** – maç**ãs**

1. Leia o texto abaixo e divirta-se com a nova mania do Joãozinho.

> Joãozinho cismou que queria ser gente grande de verdade e, para sua ideia dar certo, ele começou a falar palavrão.
> Isso virou uma confusão! [...]
> Se queria mel, pedia melão.
> [...]
> Chá era chão; pimenta, pimentão; pá, pão.
> De manhã pedia:
> – Quero leitão!

Selma Maria. *O livro do palavrão*. São Paulo: Editora do Brasil, 2015. p. 4-7.

- Agora, copie todas as palavras do texto que terminam em **ão**.

_____

_____

_____

2. Sobre o texto da atividade anterior, assinale a frase que explica a confusão que Joãozinho criou.

☐ Joãozinho mudou o significado das palavras colocando **ão** no final delas.

☐ Ele começou a gritar.

☐ O menino colocou todas as palavras no diminutivo.

3. Circule o que Joãozinho queria no café da manhã.

4. Na escola, a professora de Joãozinho pediu aos alunos que desenhassem animais cujo nome terminasse em **ão**, mas o garoto queria desenhar vários de cada espécie. Complete as frases com o plural dos nomes dos animais que ele escolheu.

a) Em vez de desenhar um **cão**, Joãozinho desenhou quatro _____.

b) Ele não queria apenas um **gavião**, por isso desenhou três _____.

c) Um **tubarão** já causa medo, mas Joãozinho desenhou dois _____.

5. Complete o quadro com o plural das palavras terminadas em **ão**. Depois, circule os plurais que terminam em **ões**.

sabão		cidadão	
capitão		campeão	
limão		anão	

> **ATENÇÃO**
> Na língua portuguesa, o plural da maioria das palavras terminadas em **ão** termina em **ões**, mas é preciso se atentar às exceções.

RECORDANDO O QUE VOCÊ APRENDEU

1. Complete os espaços com as letras iniciais das palavras que dão nome aos seres e aos objetos representados nas imagens.

a)  _____aca

d)  _____aca

b)  _____ela

e)  _____erro

c)  _____edo

f)  _____ia

2. Complete o nome dos doces com encontros vocálicos ou consonantais.

a) _____eme de conf_____teiro

b) _____igad_____ro

c) chi_____ete

d) algod_____-doce

• Agora, escreva na coluna adequada as palavras que você completou, separando as sílabas.

Encontro vocálico	Encontro consonantal
_____	_____
_____	_____

167

3. Descubra a frase do cartaz a seguir trocando cada letra pela letra anterior do alfabeto, por exemplo: B ➜ A; N ➜ M.

OBP NBMUSBUF

_____

PT BOJNBJT

_____

4. Relacione as palavras à sua classificação correta e preencha os quadrados com o número correspondente.

1 – artigo   2 – substantivo   3 – adjetivo   4 – pronome pessoal   5 – verbo

☐ esperto   ☐ garoto   ☐ você   ☐ beber   ☐ um

5. Complete o quadro com as palavras do boxe. Preste atenção para colocá-las nas colunas corretas.

comer   Beatriz   festa   bonita   acordar   um   Brasil
sorrir   pipoca   chocolate   vazio   colorido   Paulo   as   o

substantivo comum	substantivo próprio	adjetivo	verbo	artigo

6. Pinte apenas os espaços onde há o antônimo das palavras abaixo para descobrir a figura de uma flor. Depois, escreva os antônimos pintados nos lugares corretos.

feio _____   pequeno _____   sujo _____

curto _____   dentro _____   aberto _____

grosso _____   triste _____   cheio _____

frio _____   alto _____   fino _____

gordo _____   duro _____   escuro _____

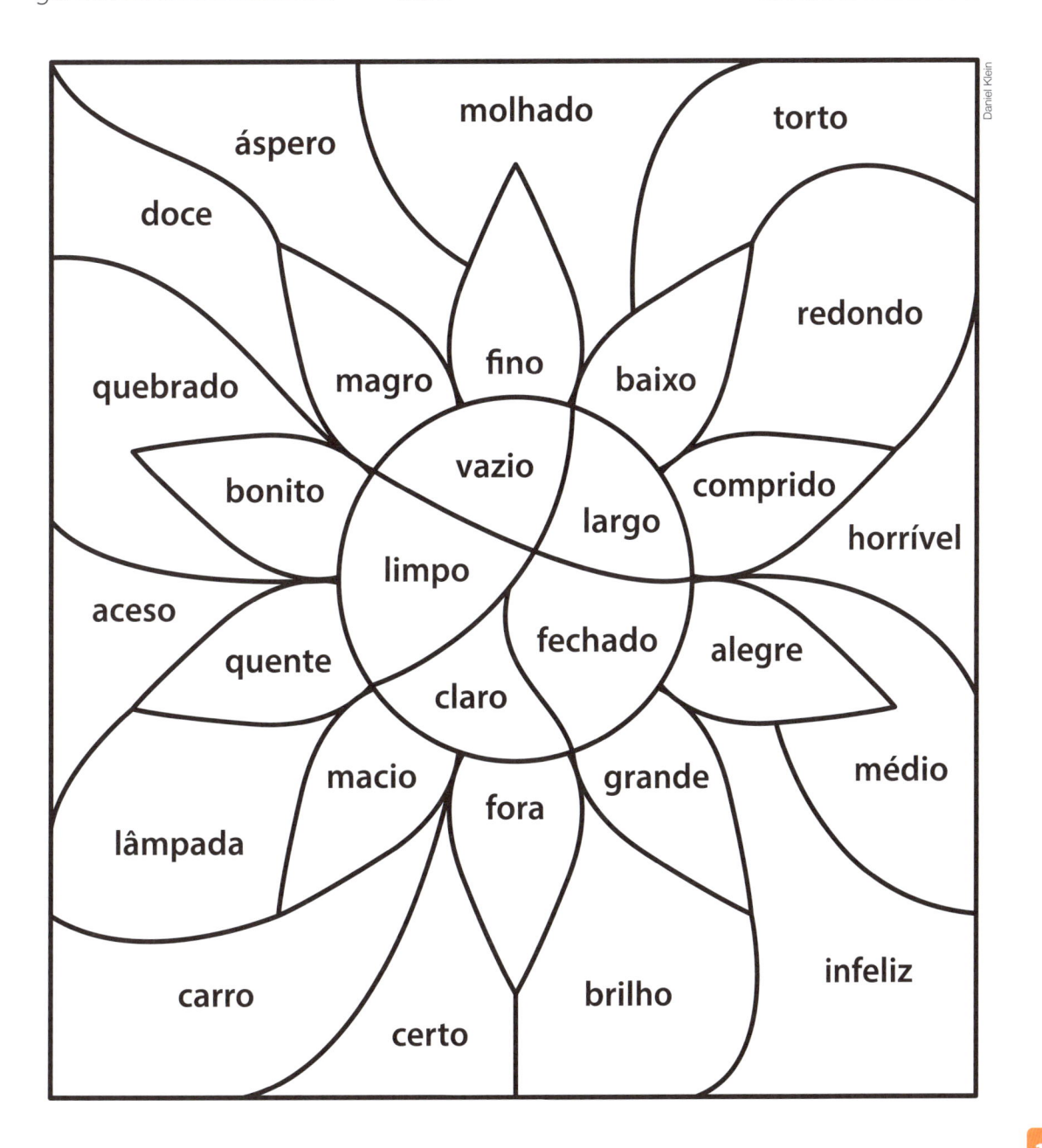

7. De acordo com a ilustração, escreva os substantivos no singular ou no plural. Depois, faça o que se pede.

a) Que lugar é representado na ilustração?

_____

b) Crie um substantivo próprio para nomear esse lugar e escreva-o na placa. Lembre-se de usar iniciais maiúsculas.

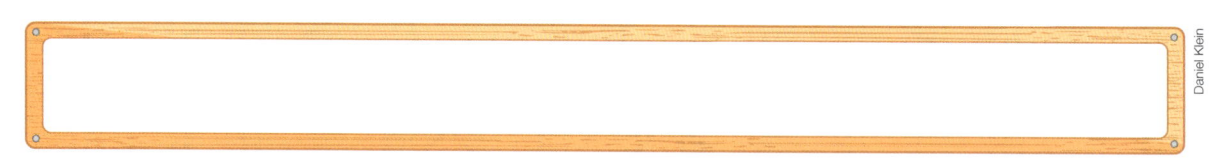

8. Nos pares de palavras a seguir, escreva se as letras em destaque apresentam som igual ou diferente.

a) **g**emada – **g**irafa _____

b) **g**ol – **g**elatina _____

c) **c**acau – **c**ebola _____

d) **c**ocada – **c**arambola _____

170

9. Leia a seguir um trecho da história *Atum, o gato grato* e complete as palavras com os encontros consonantais **gr**, **br** ou **tr**.

Atum, o gato _____ato, é mesmo um gato en_____açado...
[...]
Sabe a_____ir armário, gosta de tomar banho, mas não se deixa escovar.
[...]
Atum, o gato _____ato, é mesmo um sonhador...
Em suas sete vidas já foi:
Equili_____ista, jardineiro, terapeuta, cozinheiro, as_____onauta, marinheiro e cons_____utor.

Thais Laham Morello. *Atum, o gato grato*. São Paulo: Carochinha, 2015. p. 6, 8 e 10.

10. Após a leitura de "Atum, o gato grato", faça o que se pede.
   a) Circule no quadro abaixo o sinônimo da palavra **grato**.

gostoso   agradecido   mágico

   b) Escreva no balão de fala da ilustração a palavra que Atum costuma dizer para agradecer. **Dicas:** tem encontro consonantal e quatro sílabas.

11. Complete a letra da canção de acordo com as instruções do quadro abaixo.

Dígrafos nos traços vermelhos (―).
Encontros vocálicos nos traços verdes (―).

Algumas palavri_____as são mágicas
E ajudam a gente a viver me_____or
Por favor, m_____to obrigado
Com licença, tudo bem?
Pode pa_____ar

Eu te amo, brinca comigo?
Como vai, m_____amigo?
Aquele abraço!
Bom d_____, b_____ tarde, boa n_____te [...]
Viver a_____im é bom demais.

PALAVRINHAS mágicas. Intérprete: Eliana. Compositor: Dany Junior. *In*: *É dez*. São Paulo: BMG, 2002. 1 CD, faixa 11.

12. Veja a planta de uma casa.

a) Escreva nos quadros brancos da imagem o substantivo que nomeia cada um dos cômodos.

b) Circule os dígrafos e sublinhe os encontros vocálicos dos substantivos que você escreveu.

13. Complete as frases com os verbos entre parênteses. Fique atento ao tempo verbal indicado.

a) Hoje, as crianças não brincaram no parque, mas amanhã elas _____. (brincar/futuro)

b) Nós _____ todos os doces porque estavam muito gostosos. (comer/passado)

c) Paola _____ seus cabelos todos os dias. (lavar/presente)

d) Os alunos _____ todo o texto que a professora escreverá na lousa. (copiar/futuro)

14. Leia a tirinha a seguir. Depois, faça o que se pede.

Quadrinho 1: XI! LÁ VAI O CHATO DO JUNIM! PRECISO ME ESCONDER...

Quadrinho 2: ...SENÃO, ELE VAI FICAR PEDINDO PRA EU TIRAR COISAS DE DENTRO DA MINHA PANELINHA!

Quadrinho 3: UÊ? CADÊ O MALUQUINHO? RI! RI! RI! O ESCONDERIJO PERFEITO!

Ziraldo. *O Menino Maluquinho*. [S. l.: s. n.], [20--?]. Disponível em: http://omeninomaluquinho.educacional.com.br/imagensPaginas/mmp1502_02.jpg. Acesso em: 12 fev. 2021.

a) Quais palavras estão no diminutivo?

_____

b) Onde Maluquinho se escondeu?

_____

c) Imagine que a tirinha tivesse mais um quadrinho. O que aconteceria? Desenhe-o abaixo e elabore falas para os personagens.

173

15. Forme o diminutivo das palavras abaixo. Utilize os finais **-inho/-inha** ou **-zinho/-zinha**.

a) vovó _____

b) carro _____

c) pão _____

d) estrada _____

e) mamão _____

f) quadro _____

g) lobo _____

h) estrela _____

i) papel _____

j) vovô _____

k) janela _____

l) árvore _____

16. De acordo com as imagens, escreva o sujeito e complete o predicado nas tabelas.

a)

Sujeito

Predicado
brincam _____ .

b)

Sujeito

Predicado
come _____ .

c)

Sujeito

Predicado
lava _____ .

17. Complete os diálogos elaborando o tipo de frase pedido.

a) Interrogativa

_____

— Sim, eu aceito, mas só um pedacinho.

b) Negativa:

— Vamos ao cinema mais tarde?

_____

c) Exclamativa

_____

— Calma, é apenas uma folha caída.

d) Afirmativa

— Este lápis é seu?

_____

18. Escreva o **coletivo** de cada substantivo.

a)

peixe _____

b)

banana _____

c)

flor _____

d)

navio _____

19. Complete as frases com os coletivos utilizados na atividade 18.

a) A moça ganhou um lindo e perfumado _____ da filha.

b) Vovó comprou um(a) _____ de bananas para fazer doce.

c) O pescador avistou um grande _____.

d) A _____ atracou no porto pela manhã.

20. Complete as palavras com o que se pede.

s ou ss	l ou u	x ou ch
carro_____el	paste_____	_____uva
gosto_____o	pape_____	_____ale
ama_____ar	minga_____	en_____ada
en_____opado	espira_____	a_____ado
a_____ombração	bacalha_____	_____eio

21. Rescreva as frases passando todas as palavras para o plural.

a) A garota passeou pelo parque.

_____

_____

b) O neto deu um longo abraço na vovó.

_____

_____

c) O pescador vende o peixe no mercado.

_____

_____

d) O garoto quebrou a janela da vizinha.

_____

_____